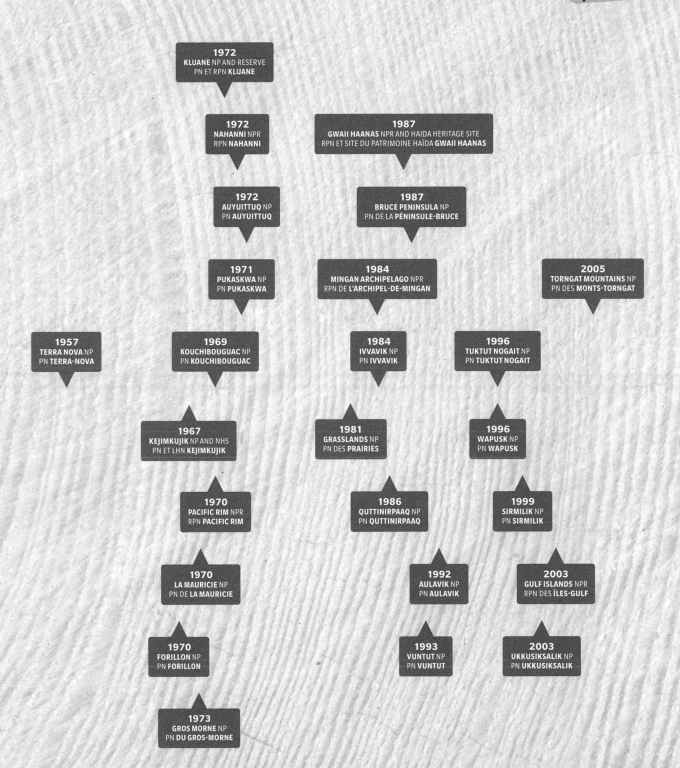

**1972**
KLUANE NP AND RESERVE
PN ET RPN **KLUANE**

**1972**
NAHANNI NPR
RPN **NAHANNI**

**1987**
GWAII HAANAS NPR AND HAIDA HERITAGE SITE
RPN ET SITE DU PATRIMOINE HAÏDA **GWAII HAANAS**

**1972**
AUYUITTUQ NP
PN **AUYUITTUQ**

**1987**
BRUCE PENINSULA NP
PN DE LA **PÉNINSULE-BRUCE**

**1971**
PUKASKWA NP
PN **PUKASKWA**

**1984**
MINGAN ARCHIPELAGO NPR
RPN DE **L'ARCHIPEL-DE-MINGAN**

**2005**
TORNGAT MOUNTAINS NP
PN DES **MONTS-TORNGAT**

**1957**
TERRA NOVA NP
PN **TERRA-NOVA**

**1969**
KOUCHIBOUGUAC NP
PN **KOUCHIBOUGUAC**

**1984**
IVVAVIK NP
PN **IVVAVIK**

**1996**
TUKTUT NOGAIT NP
PN **TUKTUT NOGAIT**

**1948**
FUNDY NP
PN **FUNDY**

**1967**
KEJIMKUJIK NP AND NHS
PN ET LHN **KEJIMKUJIK**

**1981**
GRASSLANDS NP
PN DES **PRAIRIES**

**1996**
WAPUSK NP
PN **WAPUSK**

Keep up to date with
the development of
Canada's national parks
at www.pc.gc.ca

Tenez-vous à jour sur
l'évolution des parcs
nationaux du Canada
en visitant le site
www.pc.gc.ca

**1970**
PACIFIC RIM NPR
RPN **PACIFIC RIM**

**1986**
QUTTINIRPAAQ NP
PN **QUTTINIRPAAQ**

**1999**
SIRMILIK NP
PN **SIRMILIK**

**1970**
LA MAURICIE NP
PN DE **LA MAURICIE**

**1992**
AULAVIK NP
PN **AULAVIK**

**2003**
GULF ISLANDS NPR
RPN DES **ÎLES-GULF**

**1970**
FORILLON NP
PN **FORILLON**

**1993**
VUNTUT NP
PN **VUNTUT**

**2003**
UKKUSIKSALIK NP
PN **UKKUSIKSALIK**

**1973**
GROS MORNE NP
PN DU **GROS-MORNE**

**PN** Parc national
**RPN** Réserve de parc national
**LHN** Lieu historique national

Par réserve de parc national, on entend une zone réservée à l'aménagement
d'un parc national une fois que seront réglées une ou plusieurs revendications
autochtones que le gouvernement fédéral a accepté de négocier.

Ce schéma chronologique fait référence soit à l'année où des
terres ont été réservées pour l'aménagement du parc national,
soit à celle de la signature de l'entente de constitution du parc.

OVERLEAF
Mount Rundle, Vermillion Lakes,
date unknown,
*Banff National Park*

AU VERSO
Mont Rundle, lacs Vermillion,
date inconnue,
*parc national Banff*

BELOW
Lake Louise with Victoria Glacier
in background, 1960,
*Banff National Park*

DESSOUS
Lac Louise avec pour toile
de fond le glacier Victoria, 1960,
*parc national Banff*

"The National Parks of Canada are a source of untold pleasure and pride to our people."

**James Bernard Harkin,** *Canada's first Commissioner of National Parks*

« Les parcs nationaux du Canada sont une source de plaisir et de fierté inestimables pour le peuple canadien. »

**James Bernard Harkin,** *premier commissaire des parcs nationaux du Canada*

Cabot Trail near
Corney Brook, 1955,
*Cape Breton Highlands
National Park*

Le Cabot Trail près
du ruisseau Corney, 1955,
*parc national des
Hautes-Terres-du-Cap-Breton*

# Canada's National Parks *A Celebration*
# Les parcs nationaux du Canada *Une célébration*

canopy | canopée

VANCOUVER, TORONTO, MONTRÉAL

Canopy recognizes and acknowledges the support of Parks Canada.
Canopée reconnaît et souligne le soutien de Parcs Canada.

Canopy
1726 Commercial Drive,
Vancouver, British Columbia
V5N 4A3
www.canopyplanet.org

This book was produced to have the least possible impact on our planet's species, forests, and climate. It contains no wood fibre from intact or endangered forests, and is printed on acid-free, FSC-certified papers containing post-consumer recycled content.

*Library and Archives Canada*
*Cataloguing in Publication*

Canada's national parks : a celebration = Les parcs nationaux du Canada : une célébration.

With contributions from Parks Canada.
Text in English and French.
ISBN 978-0-9866614-0-2

1. National parks and reserves—Canada—Pictorial works.
I. Parks Canada
II. Title: Parcs nationaux du Canada.

FC215.C363 2010
333.78'30971
C2010-905479-2E

**Cover Photography**

FRONT COVER: Mount Rundle, Vermilion Lakes, *Banff National Park (D. Benson)*

BACK COVER *(top to bottom, left to right)*: Mount Clitheroe, Tonquin Valley, *Jasper National Park (D. Benson)*; Looking east from Bellevue Hill, *Waterton Lakes National Park (D. Wiggett)*; Harbour seal, *Gulf Islands National Park Reserve (D. Sanders)*; Cap-Bon-Ami, *Forillon National Park (D. Wilson)*; Hoarfrost-encrusted adult bull muskoxen, *Aulavik National Park (W. Lynch)*; Pillar Rock, *Cape Breton Highlands National Park (J. Sylvester)*

Canopée
1726, Commercial Drive
Vancouver (Colombie-Britannique)
V5N 4A3
www.canopeeqc.org

Le présent livre a été produit de manière à avoir le moins d'impact possible sur les espèces, les forêts et le climat de notre planète. Il ne contient aucune fibre issue de forêts intactes ou menacées, et est imprimé sur des papiers sans acide certifiés par le Forest Stewardship Council (FSC) et contenant des fibres recyclées postconsommation.

*Catalogage avant publication de Bibliothèque et Archives Canada*

Canada's national parks : a celebration = Les parcs nationaux du Canada : une célébration.

Avec des contributions de Parcs Canada.
Texte en français et en anglais.
ISBN 978-0-9866614-0-2

1. Parcs nationaux—Canada—Ouvrages illustrés.
I. Parcs Canada
II. Titre: Parcs nationaux du Canada.

FC215.C363 2010
333.78'30971
C2010-905479-2F

**Photographie de couverture**

COUVERTURE AVANT : Mont Rundle, lacs Vermilion, *parc national Banff (D. Benson)*

COUVERTURE ARRIÈRE *(de haut en bas, de gauche à droite)* : Mont Clitheroe, vallée Tonquin, *parc national Jasper (D. Benson)*; Vue de l'est depuis la colline Bellevue, *parc national des Lacs-Waterton (D. Wiggett)*; Phoque commun, *réserve de parc national des Îles-Gulf (D. Sanders)*; Cap-Bon-Ami, *parc national Forillon (D. Wilson)*; Bœufs musqués adultes couverts de givre, *parc national Aulavik (W. Lynch)*; Pillar Rock, *parc national des Hautes-Terres-du-Cap-Breton (J. Sylvester)*

# TABLE OF CONTENTS — TABLE DES MATIÈRES

Visitors crossing Maligne River
bridge, date unknown,
*Jasper National Park*

Visiteurs traversant le pont de
la rivière Maligne, date inconnue,
*parc national Jasper*

**NATIONAL PARKS WERE INITIALLY CREATED** because they were spectacular places whose grandeur evoked a sense of awe and appreciation of Canada's unparalleled beauty in those who travelled to visit them. In the early days, protecting their biological richness was a secondary benefit of their designation. Over the decades, the era of awe-inspiring vistas as the motivator for park establishment has evolved to include a mandate of protecting ecosystems for the benefit and enjoyment of Canadians.

When our first national parks were created, the wild areas of the country seemed endless. Today, much less so. We are now acutely aware of humanity's capacity to destroy landscapes at a pace that surprises us as it is not what we set out to accomplish. Diminishment and fragmentation of our natural heritage seem an unintended consequence of economic decisions. As a result, we can be thankful for sanctuaries such as the national parks illustrated on these pages.

Until we resolve this dissonance between our values, national parks must serve as places of refuge, both from our rapaciousness and for ecosystems increasingly at risk. Current scales and methods of logging, mining, fishing, and development need to be brought dramatically into check, accompanied by conservation decisions about how much we consume. This will enable national parks to be the anchor points of country-wide ecological integrity, rather than becoming isolated islands of nature.

Eventually, we will be at ease living within the bounds of a vibrant environment. Then, these protected spaces will truly represent our culture as much as they represent the thoroughly Canadian flora and fauna that make their home in the national parks. And then, as now, we will be thankful that these jewels have, by design and dedication, been safeguarded.

**LES PARCS NATIONAUX ONT D'ABORD ÉTÉ CRÉÉS** pour mettre en valeur des sites spectaculaires dont la splendeur suscitait le respect et l'émerveillement pour la beauté inégalée du Canada. À l'époque, la protection de leur richesse biologique était un avantage secondaire de leur désignation. De nos jours, la création d'un parc national est motivée non seulement par des paysages à couper le souffle, mais aussi par un mandat de protection des écosystèmes pour l'appréciation et le bénéfice des Canadiens.

Du temps des premiers parcs nationaux, les territoires sauvages du pays semblaient sans limites. Tout ça a bien changé aujourd'hui. Nous ne pouvons plus ignorer que l'humanité s'est montrée capable de détruire des paysages avec une efficacité qui nous stupéfie tant elle est loin du résultat escompté. Des décisions économiques ont eu pour conséquences inattendues la réduction et la fragmentation du patrimoine naturel. Voilà pourquoi nous devons être reconnaissants de l'existence de sanctuaires comme les parcs nationaux illustrés dans les pages du présent livre.

Tant que cette dissonance entre nos valeurs ne sera pas résolue, les parcs nationaux devront agir comme refuges autant contre notre rapacité que pour nos écosystèmes de plus en plus menacés. L'envergure et les méthodes qui gouvernent l'exploitation forestière et minière, la pêche et le développement doivent être radicalement encadrées et éclairées par des choix de consommation axés sur la conservation. Ainsi, plutôt que des îlots de nature isolés, les parcs nationaux pourront devenir les points d'ancrage d'une intégrité écologique préservée à la grandeur du pays.

Un de ces jours, nous finirons par nous accommoder d'une vie à la mesure des moyens d'un environnement sain. Alors, les parcs nationaux représenteront réellement notre culture tout autant que les espèces végétales et animales vraiment canadiennes qui vivent dans ces espaces protégés. À ce moment comme aujourd'hui, nous serons reconnaissants du fait que ces joyaux aient été sciemment et soigneusement préservés.

**SINCE THE FIRST HUMANS EVOLVED ON THIS PLANET** we have managed to inhabit practically every corner of the globe. In so doing we have, through experimentation and best efforts, developed an incredible diversity of cultures adapted to various climates, landscapes, and other ecological challenges that the natural world has presented to us. To understand a culture one must examine the land that shaped it. To understand the Aboriginal peoples of Canada and the many who subsequently settled and adapted here, one needs to understand Canada's landscape—its climate, its forests, its plants, its wildlife, its spiritual places.

There are fewer and fewer places to get away from our day-to-day environments and reflect on who we are as Canadians.

This commemorative book is a celebration of our national parks, which inspire us and move us emotionally, intellectually, and spiritually. Our parks are not just ecological landscapes; they are part and parcel of our Canadian existence. They showcase the diversity of the Canadian landscape, and provide the opportunity to experience first-hand the very essence of our country and of the Canadian experience.

Each of our national parks is part of Canada's collective soul, and a part of our nation's promise to future generations. Together, they ensure that each new generation of Canadians will be nourished by unique personal experiences that will help them learn what it means to truly be at one with this place we call our "home and native land."

Experiencing the rainforest of Pacific Rim National Park Reserve, for example, I gained an insight into the culture of the Nuu-chah-nulth First Nations, while simply being amazed at the sheer size of the trees. The challenging hikes in the mountains of Banff and Yoho serve as a reminder of the determination of early explorers, while providing the satisfaction of meeting a personal goal. The mixed prairie terrain of Grasslands National

**DEPUIS LES DÉBUTS DE LEUR ÉVOLUTION,** les humains sont parvenus à habiter presque tous les coins de la planète. C'est ainsi qu'à force d'expériences et d'efforts soutenus, ils ont créé des cultures d'une incroyable diversité adaptées aux divers climats, paysages et défis écologiques que leur a présentés le monde naturel. Pour comprendre une culture, il faut étudier le territoire qui l'a façonnée. Pour comprendre les Autochtones du Canada et les divers peuples qui s'y sont installés et adaptés dans les récents siècles, il faut comprendre le paysage du Canada : son climat, ses forêts, sa flore, sa faune, ses lieux sacrés.

Il existe de moins en moins d'endroits où nous pouvons nous éloigner de nos environnements quotidiens pour réfléchir sur ce qui fait notre identité de Canadiens.

Le présent livre commémoratif est une célébration des parcs nationaux qui nous inspirent et émerveillent aux niveaux émotif, intellectuel et spirituel. Loin d'être seulement des paysages écologiques, nos parcs font partie intégrante de notre existence au Canada. Ils illustrent la diversité du relief canadien et nous permettent de nous imprégner directement de l'essence même du Canada et de l'expérience canadienne.

Chacun de nos parcs nationaux fait partie de l'âme collective du pays et de l'héritage légué par le Canada aux futures générations. Ensemble, ils permettent à chaque nouvelle génération de Canadiens de se nourrir d'expériences personnelles uniques qui l'aidera à connaître en profondeur ce pays que nous appelons la « terre de nos aïeux ».

Ainsi, dans la réserve de parc national Pacific Rim, parmi les arbres géants de la forêt pluviale, j'ai découvert avec fascination la culture des Premières nations Nuu-chah-nulth. D'épuisantes randonnées dans les montagnes de Banff et de Yoho m'ont rappelé le courage des premiers explorateurs, tout en m'accordant la satisfaction d'atteindre un but personnel. Les vastes pâturages mixtes du parc national des Prairies m'ont permis d'évoquer les

Park inspires me to reflect on the massive bison herds that once supported native peoples. Discovering Forillon National Park aboard a kayak, paddling amongst the area's diverse wildlife, I am rendered speechless by the dramatic landscapes, steep rock formations, and bucolic valleys where people have lived in harmony with the land and the sea for thousands of years. And having lunch with an Inuit elder in Torngat Mountains National Park is an opportunity to learn more about Canada's north and a life-changing experience for reasons words just can't describe.

With our growing system of forty-two national parks spread north, south, east, and west across the country, each one offering insights into millennia of natural history and human passage, there are endless opportunities for Canadians to explore and reflect on who they are. Given the connection with the land experienced by those who came before us, it could even be argued that visiting national parks and re-connecting to them is the true essence of what it means to be Canadian.

immenses troupeaux de bisons dont dépendaient jadis les peuples autochtones. En kayak au parc national Forillon, pagayant parmi la faune diverse du littoral, j'ai été réduit au silence devant les reliefs saisissants, les formations rocheuses vertigineuses et les vallées bucoliques où, durant des millénaires, les gens ont vécu en harmonie avec la terre et la mer. Enfin, en partageant le repas d'un aîné inuit au parc national des Monts-Torngat, j'ai eu la chance de mieux comprendre le Grand nord canadien et de vivre une expérience indescriptible.

Avec notre réseau croissant de quarante-deux parcs nationaux éparpillés aux quatre points cardinaux du pays, chacun offrant un aperçu de millénaires d'histoire naturelle et humaine, les Canadiens disposent d'innombrables moyens d'explorer et d'approfondir leur identité. Compte tenu des liens étroits avec la terre qu'avaient ceux qui nous ont précédés, on peut soutenir que rétablir ces liens en visitant nos parcs nationaux constitue l'essence même de ce que cela signifie que d'être Canadien.

Bridge over Bogey Creek, 1935,
*Riding Mountain National Park*
(W.J. OLIVER)

Pont enjambant le ruisseau Bogey, 1935,
*parc national du Mont-Riding*
(W.J. OLIVER)

**BRINGING TOGETHER IN ONE VOLUME** the work of some of the country's most respected landscape photographers and a selection of stunning photography from the Parks Canada photo collection, *Canada's National Parks: A Celebration* beautifully captures the essence of the Canadian landscape. This commemorative book was conceived to underscore the significance of the federal government's decision, made 125 years ago, to set aside a small parcel of land for the creation of a "public park." This was the beginning of Banff National Park, the first park in what is today one of the largest national parks systems in the world.

Over the past century and a quarter, the Government of Canada's vision for our national parks has evolved. National parks have come to be recognized and valued as areas of natural beauty and ecological significance which the federal government protects on behalf of the people of Canada. They are managed by Parks Canada for the benefit, education, and enjoyment of Canadians, now and in the future. Several of our national parks are also UNESCO World Heritage Sites, irreplaceable sources of inspiration to the world.

The Canadian landscape encompasses thirty-nine distinct terrestrial regions, each defined by its characteristic natural features. Parks Canada's goal in setting aside land for national parks is to ensure that our national parks system as a whole is representative of the entire landscape of Canada. Efforts continue on the expansion of this system and at present twenty-eight of Canada's thirty-nine natural regions are represented by one or more of our forty-two national parks, located in every province and territory.

**RÉUNION EN UN SEUL TOME** de clichés de certains des photographes paysagistes les plus respectés du pays et d'une sélection de magnifiques images tirées de la collection de photographies de Parcs Canada, *Les parcs nationaux du Canada : une célébration* saisit parfaitement l'essence du paysage canadien. Ce livre commémoratif souligne l'importance de la décision prise par le gouvernement fédéral, il y a 125 ans, de réserver une petite parcelle du territoire pour la création d'un « parc public ». C'est ainsi qu'est né le parc national Banff, précurseur d'un réseau de parcs nationaux qui est aujourd'hui un des plus vastes dans le monde.

Au cours des dernières 125 années, la vision du gouvernement du Canada sur nos parcs nationaux a évolué. Les parcs nationaux sont désormais reconnus et appréciés comme espaces de beauté naturelle et d'importance écologique que le gouvernement fédéral protège au nom du peuple du Canada. Ils sont administrés par Parcs Canada pour le profit, l'éducation et la jouissance des Canadiens d'aujourd'hui et de demain. Plusieurs de nos parcs nationaux sont également des sites du patrimoine mondial de l'UNESCO, sources irremplaçables d'inspiration pour le monde entier.

Le territoire canadien est réparti en trente-neuf zones terrestres distinctes, chacune définie par ses propres caractéristiques naturelles. En réservant des terres pour y créer des parcs nationaux, Parcs Canada veut que le réseau des parcs nationaux soit représentatif de l'ensemble du territoire canadien. L'Agence poursuit ses efforts en vue d'étendre ce réseau dont les quarante-deux parcs nationaux actuels, disséminés dans chaque province et territoire, représentent à présent vingt-huit régions naturelles du pays.

Showcasing the achievements of Canadian landscape photographers who share a passion for our national parks, this book uses contemporary images of every national park in the country to evoke a sense of our national parks system as it is today and a selection of historical images to provide a perspective on its evolution over the past 125 years. Collectively, the images that grace these pages pay tribute to the splendour of the landscapes, flora, and fauna within the national parks of Canada. Not only is this book a testament to the talent and dedication of the contributing photographers—and to the inspiration they draw from Canada's most iconic natural landscapes—it is an invitation to come and experience first-hand the beauty and diversity of these remarkable places.

Mettant en vedette les réalisations de photographes paysagistes canadiens qui partagent une passion pour nos parcs nationaux, le présent livre se sert d'images contemporaines de chaque parc national du pays pour donner une idée de l'ampleur du réseau actuel de parcs nationaux, ainsi que d'une sélection de photos historiques pour mettre en perspective son évolution au cours des 125 dernières années. Ensemble, les photos qui agrémentent ces pages célèbrent la splendeur des paysages, de la flore et de la faune des parcs nationaux du Canada. Témoignage du talent et du dévouement des photographes contributeurs et de l'inspiration qu'ils tirent des paysages naturels les plus célèbres au pays, ce livre est aussi une invitation à se rendre découvrir en personne la beauté et la diversité de ces endroits extraordinaires.

## NORTHERN CANADA

1. Quttinirpaaq
2. Sirmilik
3. Auyuittuq
4. Ukkusiksalik
5. Aulavik
6. Tuktut Nogait
7. Wood Buffalo
8. Nahanni
(National Park Reserve)
9. Ivvavik
10. Vuntut
11. Kluane
(National Park and Reserve)

## PACIFIC AND MOUNTAINS

12. Gwaii Haanas
(National Park Reserve and Haida Heritage Site)
13. Pacific Rim
(National Park Reserve)
14. Gulf Islands
(National Park Reserve)
15. Kootenay
16. Glacier
17. Mount Revelstoke
18. Yoho

## PRAIRIE PROVINCES

7. Wood Buffalo
19. Jasper
20. Banff
21. Waterton Lakes
22. Elk Island
23. Prince Albert
24. Grasslands
25. Riding Mountain
26. Wapusk

## CENTRAL CANADA

27. Pukaskwa
28. Bruce Peninsula
29. Georgian Bay Islands
30. Point Pelee
31. St. Lawrence Islands
32. La Mauricie
33. Forillon
34. Mingan Archipelago
(National Park Reserve)

## ATLANTIC CANADA

35. Prince Edward Island
36. Kouchibouguac
37. Fundy
38. Kejimkujik
(National Park and National Historic Site)
39. Cape Breton Highlands
40. Terra Nova
41. Gros Morne
42. Torngat Mountains

# Canada's National Parks | Les parcs nationaux du Canada

## NORD DU CANADA

1. Quttinirpaaq
2. Sirmilik
3. Auyuittuq
4. Ukkusiksalik
5. Aulavik
6. Tuktut Nogait
7. Wood Buffalo
8. Nahanni
(Réserve de parc national)
9. Ivvavik
10. Vuntut
11. Kluane
(Parc national et réserve de parc national)

## MONTAGNES ET PACIFIQUE

12. Gwaii Haanas
(Réserve de parc national et site du patrimoine haïda)
13. Pacific Rim
(Réserve de parc national)
14. Îles-Gulf
(Réserve de parc national)
15. Kootenay
16. Glaciers
17. Mont-Revelstoke
18. Yoho

## PROVINCES DES PRAIRIES

7. Wood Buffalo
19. Jasper
20. Banff
21. Lacs-Waterton
22. Elk Island
23. Prince Albert
24. Prairies
25. Mont-Riding
26. Wapusk

## CENTRE DU CANADA

27. Pukaskwa
28. Péninsule-Bruce
29. Îles-de-la-Baie-Georgienne
30. Pointe-Pelée
31. Îles-du-Saint-Laurent
32. La Mauricie
33. Forillon
34. Archipel-de-Mingan
(Réserve de parc national)

## PROVINCES DE L'ATLANTIQUE

35. Île-du-Prince-Édouard
36. Kouchibouguac
37. Fundy
38. Kejimkujik
(Parc national et lieu historique national)
39. Hautes-Terres-du-Cap-Breton
40. Terra-Nova
41. Gros-Morne
42. Monts-Torngat

A natural region is an area containing a unique set of geological, biological, and ecological characteristics. The goal of Canada's national parks system is to protect representative samples of each of Canada's 39 natural regions.

## Western Mountains

1. Pacific Coast Mountains
2. Strait of Georgia Lowlands
3. Interior Dry Plateau
4. Columbia Mountains
5. Rocky Mountains
6. Northern Coast Mountains
7. Northern Interior Plateaux and Mountains
8. Mackenzie Mountains
9. Northern Yukon

## Interior Plains

10. Mackenzie Delta
11. Northern Boreal Plains
12. Southern Boreal Plains and Plateaus
13. Prairie Grasslands
14. Manitoba Lowlands

## Canadian Shield

15. Tundra Hills
16. Central Tundra
17. Northwestern Boreal Uplands
18. Central Boreal Uplands
19a. West Great Lakes— St. Lawrence Precambrian Region
19b. Central Great Lakes— St. Lawrence Precambrian Region
19c. East Great Lakes— St. Lawrence Precambrian Region
20. Laurentian Boreal Highlands
21. East Coast Boreal Region
22. Boreal Lake Plateau
23. Whale River
24. Northern Labrador Mountains
25. Ungava Tundra Plateau
26. Northern Davis Region

## Hudson Bay Lowlands

27. Hudson-James Lowlands
28. Southampton Plain

## St. Lawrence Lowlands

29a. West St. Lawrence Lowland
29b. Central St. Lawrence Lowland
29c. East St. Lawrence Lowland

## Appalachian Region

30. Notre Dame and Megantic Mountains
31. Maritime Acadian Highlands
32. Maritime Plain
33. Atlantic Coast Uplands
34. Western Newfoundland Highlands
35. Eastern Newfoundland Atlantic Region

## Arctic Lowlands

36. Western Arctic Lowlands
37. Eastern Arctic Lowlands

## High Arctic Islands

38. Western High Arctic
39. Eastern High Arctic

# Natural Regions | Régions naturelles

Une région naturelle renferme un ensemble particulier de caractéristiques géologiques, biologiques et écologiques. Le réseau des parcs nationaux du Canada a pour objet de protéger des exemples représentatifs de chacune des 39 régions naturelles du Canada.

## Montagnes de l'Ouest

1. Chaîne côtière du Pacifique
2. Basses-terres du détroit de Georgia
3. Plateau intérieur
4. Chaîne Columbia
5. Montagnes Rocheuses
6. Chaîne côtière du Nord
7. Plateaux et montagnes intérieurs du Nord
8. Monts Mackenzie
9. Nord du Yukon

## Plaines intérieures

10. Delta du Mackenzie
11. Plaines boréales du Nord
12. Plaines et plateaux boréaux du Sud
13. Prairies
14. Basses-terres du Manitoba

## Bouclier canadien

15. Collines de la toundra
16. Toundra centrale
17. Bas-plateaux boréaux du Nord-Ouest
18. Bas-plateaux boréaux du Centre
19a. Région précambrienne du Saint-Laurent et des Grands Lacs de l'Ouest
19b. Région précambrienne du Saint-Laurent et des Grands Lacs du Centre
19c. Région précambrienne du Saint-Laurent et des Grands Lacs de l'Est
20. Hautes-terres boréales Laurentiennes
21. Région boréale de la côte est
22. Plateau lacustre boréal
23. Rivière à la Baleine
24. Montagnes du Labrador du Nord
25. Plateau de la toundra d'Ungava
26. Région de Davis du Nord

## Basses-terres de la baie d'Hudson

27. Basses-terres d'Hudson et de James
28. Plaine Southampton

## Basses-terres du Saint-Laurent

29a. Basses-terres du Saint-Laurent de l'Ouest
29b. Basses-terres du Saint-Laurent du Centre
29c. Basses-terres du Saint-Laurent de l'Est

## Région des Appalaches

30. Monts Notre-Dame et Mégantic
31. Hautes-terres acadiennes des Maritimes
32. Plaine maritime
33. Bas-plateau de la côte atlantique
34. Hautes-terres de l'ouest de Terre-Neuve
35. Région atlantique de l'est de Terre-Neuve

## Basses-terres de l'Arctique

36. Basses-terres de l'Arctique Ouest
37. Basses-terres de l'Arctique Est

## Îles de l'Extrême-Arctique

38. Extrême-Arctique Ouest
39. Extrême-Arctique Est

ARCTIC OCEAN
OCÉAN ARCTIQUE

GREENLAND
GROENLAND

Beaufort Sea
Mer de Beaufort

Baffin Bay
Baie de Baffin

UNITED STATES OF AMERICA
ÉTATS-UNIS D'AMÉRIQUE

Davis Strait
Détroit de Davis

YUKON

NORTHWEST TERRITORIES
TERRITOIRES DU NORD-OUEST

NUNAVUT

C A N A D A

Hudson Bay
Baie d'Hudson

BRITISH
COLUMBIA

COLOMBIE-
BRITANNIQUE

ALBERTA

SASKATCHEWAN

MANITOBA

QUEBEC
QUÉBEC

ONTARIO

OCÉAN
PACIFIQUE

UNITED STATES OF AMERICA
ÉTATS-UNIS D'AMÉRIQUE

0

TOP
Tanquary Fiord, 1964,
*Quttinirpaaq National Park*

EN HAUT
Fjord Tanquary, 1964,
*parc national Quttinirpaaq*

BOTTOM
Above the Blow Hole on
the Firth River, 1914,
*Ivvavik National Park*

EN BAS
Au-dessus du « trou » de
la rivière Firth, 1914,
*parc national Ivvavik*

# Northern Canada | Nord du Canada

NATIONAL PARKS | LES PARCS NATIONAUX

**NUNAVUT**
1 Quttinirpaaq  2 Sirmilik  3 Auyuittuq
4 Ukkusiksalik

**NORTHWEST TERRITORIES**
5 Aulavik  6 Tuktut Nogait  7 Wood Buffalo
8 Nahanni (National Park Reserve)

**YUKON**
9 Ivvavik  10 Vuntut
11 Kluane (National Park and Reserve)

**NUNAVUT**
1 Quttinirpaaq  2 Sirmilik  3 Auyuittuq
4 Ukkusiksalik

**TERRITOIRES DU NORD-OUEST**
5 Aulavik  6 Tuktut Nogait  7 Wood Buffalo
8 Nahanni (Réserve de parc national)

**YUKON**
9 Ivvavik  10 Vuntut
11 Kluane (Parc national et réserve de parc national)

Aurora borealis,
*Wood Buffalo National Park*
(M. GRANDMAISON)

Aurore boréale,
*parc national Wood Buffalo*
(M. GRANDMAISON)

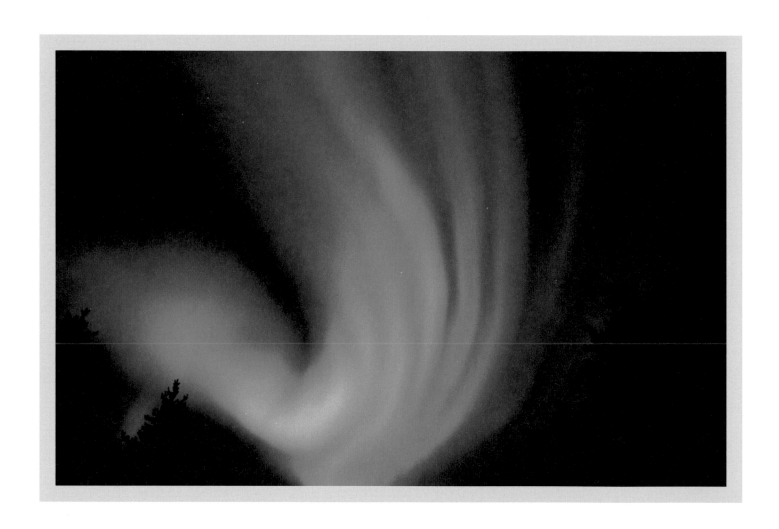

Virginia Falls,
*Nahanni National Park Reserve*
(D. BENSON)

Chutes Virginia,
*réserve de parc national Nahanni*
(D. BENSON)

Hoarfrost-encrusted
adult bull muskoxen,
*Aulavik National Park*
(W. LYNCH)

Bœufs musqués adultes
couverts de givre,
*parc national Aulavik*
(W. LYNCH)

Mount Thor,
*Auyuittuq National Park*
(J.A. KRAULIS)

Mont Thor,
*parc national Auyuittuq*
(J.A. KRAULIS)

27

LEFT
Crystallized salt at the Salt Plains,
*Wood Buffalo National Park*
(D. BENSON)

À GAUCHE
Cristaux de sel, plaines salées,
*parc national Wood Buffalo*
(D. BENSON)

BELOW
Polar bear,
*Ukkusiksalik National Park*
(W. LYNCH)

DESSOUS
Ours polaire,
*parc national Ukkusiksalik*
(W. LYNCH)

Caribou Glacier below Adluk Peak,
*Auyuittuq National Park*
(J.A. KRAULIS)

Glacier Caribou en contrebas du pic Adluk,
*parc national Auyuittuq*
(J.A. KRAULIS)

Tasiujak (Ford Lake),
*Ukkusiksalik National Park*
(L. NARRAWAY)

Tasiujak (lac Ford),
*parc national Ukkusiksalik*
(L. NARRAWAY)

Firth River,
*Ivvavik National Park*
(F. MUELLER)

Rivière Firth,
*parc national Ivvavik*
(F. MUELLER)

LEFT
Tachäl Dhäl (Sheep Mountain),
*Kluane National Park and Reserve*
(F. MUELLER)

À GAUCHE
Tachäl Dhäl (mont Sheep),
*parc national et réserve de
parc national Kluane*
(F. MUELLER)

BELOW
Piedmont glacier,
*Quttinirpaaq National Park*
(J. KOBALENKO)

DESSOUS
Glacier de piémont,
*parc national Quttinirpaaq*
(J. KOBALENKO)

La Roncière Falls,
*Tuktut Nogait National Park*
(F. MUELLER)

Chutes La Roncière,
*parc national Tuktut Nogait*
(F. MUELLER)

Female grizzly bear and twin cubs,
*Vuntut National Park*
(W. LYNCH)

Grizzly femelle et ses jumeaux,
*parc national Vuntut*
(W. LYNCH)

Mackenzie Mountains,
*Nahanni National Park Reserve*
(M. GRANDMAISON)

Monts Mackenzie,
*réserve de parc national Nahanni*
(M. GRANDMAISON)

Eclipse Sound,
southwest Bylot Island,
*Sirmilik National Park*
(L. NARRAWAY)

Détroit d'Eclipse,
sud-ouest de l'île Bylot,
*parc national Sirmilik*
(L. NARRAWAY)

Old Crow Flats,
*Vuntut National Park*
(W. LYNCH)

Plaine Old Crow,
*parc national Vuntut*
(W. LYNCH)

Mount Odin and
Weasel River valley,
*Auyuittuq National Park*
(J.A. KRAULIS)

Mont Odin et vallée de
la rivière Weasel,
*parc national Auyuittuq*
(J.A. KRAULIS)

LEFT
Caribou Glacier and
Mount Asgard,
*Auyuittuq National Park*
(J.A. KRAULIS)

À GAUCHE
Glacier Caribou et
mont Asgard,
*parc national Auyuittuq*
(J.A. KRAULIS)

BELOW
Engigstciak,
a rock outcrop,
*Ivvavik National Park*
(I. MacNEIL)

DESSOUS
Engigstciak,
un affleurement rocheux,
*parc national Ivvavik*
(I. MacNEIL)

Tundra,
*Aulavik National Park*
(W. LYNCH)

Toundra,
*parc national Aulavik*
(W. LYNCH)

Male king eider duck,
*Aulavik National Park*
(W. LYNCH)

Eider à tête grise mâle,
*parc national Aulavik*
(W. LYNCH)

Grosbeak Lake, glacial
erratics on the salt flats,
*Wood Buffalo National Park*
(D. BENSON)

Lac Grosbeak, blocs glaciaires
erratiques sur les plaines salées,
*parc national Wood Buffalo*
(D. BENSON)

BELOW
**British Mountains,**
*Ivvavik National Park*
(W. LYNCH)

DESSOUS
**Monts British,**
*parc national Ivvavik*
(W. LYNCH)

OVERLEAF
**Sunblood Mountain,**
*Nahanni National Park Reserve*
(D. BENSON)

AU VERSO
**Mont Sunblood,**
*réserve de parc national Nahanni*
(D. BENSON)

Red-throated loon,
*Ivvavik National Park*
(W. LYNCH)

Plongeon catmarin,
*parc national Ivvavik*
(W. LYNCH)

Tanquary Fiord,
*Quttinirpaaq National Park*
(J. KOBALENKO)

Fjord Tanquary,
*parc national Quttinirpaaq*
(J. KOBALENKO)

53

LEFT
Slims River valley,
*Kluane National Park
and Reserve*
(F. MUELLER)

À GAUCHE
Vallée de la rivière Slims,
*parc national et réserve de
parc national Kluane*
(F. MUELLER)

BELOW
Tanquary Fiord,
*Quttinirpaaq National Park*
(J. KOBALENKO)

DESSOUS
Fjord Tanquary,
*parc national Quttinirpaaq*
(J. KOBALENKO)

Sass River flowing through the heart
of the Whooping Crane Nesting Area,
*Wood Buffalo National Park*
(J. McKINNON)

Rivière Sass, au cœur de l'aire
de nidification de la grue blanche,
*parc national Wood Buffalo*
(J. McKINNON)

Barren-ground caribou,
Porcupine herd,
*Ivvavik National Park*
(F. MUELLER)

Caribous de la toundra,
harde de la Porcupine,
*parc national Ivvavik*
(F. MUELLER)

Arctic poppies,
*Tuktut Nogait National Park*
(W. LYNCH)

Pavots d'Islande,
*parc national Tuktut Nogait*
(W. LYNCH)

Caribou skull and antlers,
South Nahanni River,
*Nahanni National Park Reserve*
(D. BENSON)

Crâne et bois de caribou,
rivière Nahanni Sud,
*réserve de parc national Nahanni*
(D. BENSON)

LEFT
**MacDonald Valley,**
*Quttinirpaaq National Park*
(J. KOBALENKO)

À GAUCHE
**Vallée MacDonald,**
*parc national Quttinirpaaq*
(J. KOBALENKO)

BELOW
**Arctic hare,**
*Tuktut Nogait National Park*
(W. LYNCH)

DESSOUS
**Lièvre arctique,**
*parc national Tuktut Nogait*
(W. LYNCH)

LEFT
Wood bison, a species at risk,
*Wood Buffalo National Park*
(J. MARRIOTT)

À GAUCHE
Bison des bois, une espèce en péril,
*parc national Wood Buffalo*
(J. MARRIOTT)

BELOW
British Mountains,
*Vuntut National Park*
(W. LYNCH)

DESSOUS
Monts British,
*parc national Vuntut*
(W. LYNCH)

Aurora borealis,
*Ukkusiksalik National Park*
(L. NARRAWAY)

Aurore boréale,
*parc national Ukkusiksalik*
(L. NARRAWAY)

Hoodoo Valley, Bylot Island,
*Sirmilik National Park*
(D. BENSON)

Vallée Hoodoo, île Bylot,
*parc national Sirmilik*
(D. BENSON)

BELOW

Quill Creek,
*Kluane National Park
and Reserve*
(F. MUELLER)

DESSOUS

Ruisseau Quill,
*parc national et réserve de
parc national Kluane*
(F. MUELLER)

OVERLEAF

Pangnirtung Fiord,
*Auyuittuq National Park*
(D. BENSON)

AU VERSO

Fjord Pangnirtung,
*parc national Auyuittuq*
(D. BENSON)

TOP
Long Beach, 1907,
*Pacific Rim*
*National Park Reserve*

EN HAUT
Plage Long, 1907,
*réserve de parc national*
*Pacific Rim*

BOTTOM
Banff-Windermere Highway at
McLeod Meadows, 1923,
*Kootenay National Park*

EN BAS
Route Banff-Windermere,
aux prés McLeod, 1923,
*parc national Kootenay*

72

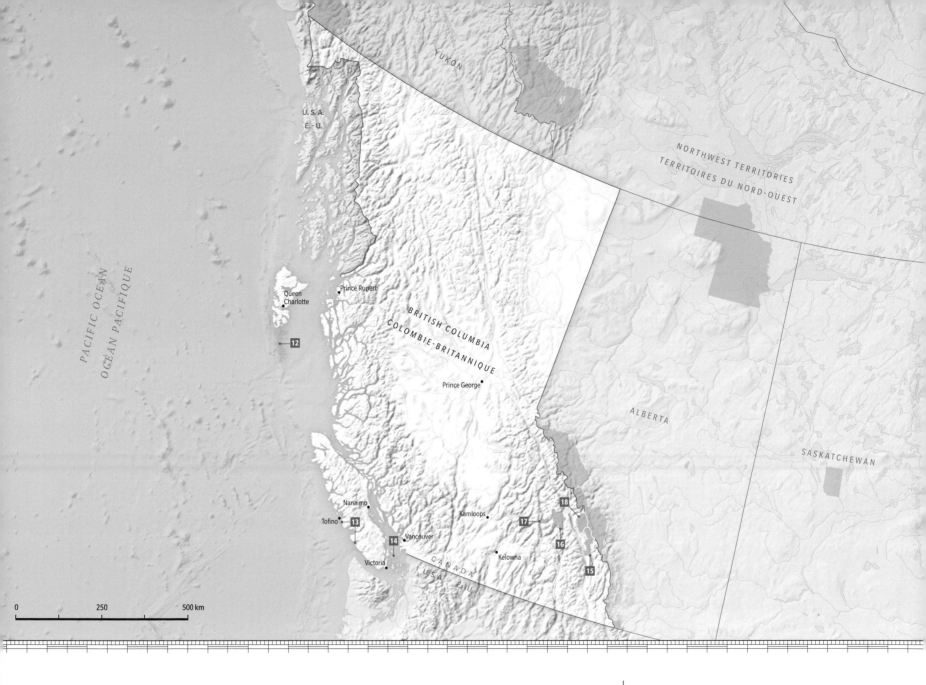

PACIFIC OCEAN
OCÉAN PACIFIQUE

YUKON

U.S.A.
É.-U.

NORTHWEST TERRITORIES
TERRITOIRES DU NORD-OUEST

Prince Rupert
Queen
Charlotte
12

BRITISH COLUMBIA
COLOMBIE-BRITANNIQUE

Prince George

ALBERTA

SASKATCHEWAN

Nanaimo
18
Tofino 13
Kamloops
17
14
Vancouver
16
Victoria
Kelowna
15
CANADA
USA - É.-U.

0    250    500 km

# Pacific and Mountains | Montagnes et Pacifique
## NATIONAL PARKS | LES PARCS NATIONAUX

**BRITISH COLUMBIA**
12 Gwaii Haanas (National Park Reserve and Haida Heritage Site)
13 Pacific Rim (National Park Reserve)
14 Gulf Islands (National Park Reserve)  15 Kootenay
16 Glacier  17 Mount Revelstoke  18 Yoho

**COLOMBIE-BRITANNIQUE**
12 Gwaii Haanas (Réserve de parc national et site du patrimoine haïda)
13 Pacific Rim (Réserve de parc national)
14 Îles-Gulf (Réserve de parc national)  15 Kootenay
16 Glaciers  17 Mont-Revelstoke  18 Yoho

LEFT
Takakkaw Falls,
*Yoho National Park*
(D. BENSON)

À GAUCHE
Chutes Takakkaw,
*parc national Yoho*
(D. BENSON)

BELOW
Vermilion Pass,
*Kootenay National Park*
(P. McCLOSKEY)

DESSOUS
Col Vermilion,
*parc national Kootenay*
(P. McCLOSKEY)

Jellyfish,
*Gulf Islands National Park Reserve*
(D. SANDERS)

Méduse,
*réserve de parc national des Îles-Gulf*
(D. SANDERS)

Harbour seal,
*Gulf Islands National Park Reserve*
(D. SANDERS)

Phoque commun,
*réserve de parc national des Îles-Gulf*
(D. SANDERS)

Sub-alpine meadow wildflowers,
*Mount Revelstoke National Park*
(D. JOHNSTON)

Fleurs sauvages des prés subalpins,
*parc national du Mont-Revelstoke*
(D. JOHNSTON)

Giant Cedars Trail,
*Mount Revelstoke National Park*
(D. WIGGETT)

Sentier des Cèdres-Géants,
*parc national du Mont-Revelstoke*
(D. WIGGETT)

Near Hemlock Grove Trail,
*Glacier National Park*
(J. MARRIOTT)

Abords du sentier de la Prucheraie,
*parc national des Glaciers*
(J. MARRIOTT)

Mountain goat,
*Glacier National Park*
(M. GRANDMAISON)

Chèvre de montagne,
*parc national des Glaciers*
(M. GRANDMAISON)

View of Eagle Pass from the
summit of Mount Revelstoke,
*Mount Revelstoke National Park*
(M. GRANDMAISON)

Vue du col Eagle depuis le
sommet du mont Revelstoke,
*parc national du Mont-Revelstoke*
(M. GRANDMAISON)

Steller sea lions, a species at risk, on one of the Belle Chain Islets, *Gulf Islands National Park Reserve* (C.J. STEWART)

Otaries de Steller, une espèce en péril, sur un des îlots Belle Chain, *réserve de parc national des Îles-Gulf* (C.J. STEWART)

Burnaby Narrows,
*Gwaii Haanas National Park*
*Reserve and Haida Heritage Site*
(G. OSBORNE)

Passage Burnaby,
*réserve de parc national et site du*
*patrimoine haïda Gwaii Haanas*
(G. OSBORNE)

Summit of Mount Revelstoke,
*Mount Revelstoke National Park*
(D. WIGGETT)

Sommet du mont Revelstoke,
*parc national du Mont-Revelstoke*
(D. WIGGETT)

LEFT
Near Vermilion River,
*Kootenay National Park*
(A. GIBBS)

À GAUCHE
Abords de la rivière Vermilion,
*parc national Kootenay*
(A. GIBBS)

BELOW
Beaver River valley,
*Glacier National Park*
(J. MARRIOTT)

DESSOUS
Vallée de la rivière Beaver,
*parc national des Glaciers*
(J. MARRIOTT)

Near Dare Point, West Coast Trail,
*Pacific Rim National Park Reserve*
(J.A. KRAULIS)

Abords de la pointe Dare, sentier de la Côte-Ouest,
*réserve de parc national Pacific Rim*
(J.A. KRAULIS)

View of Canadian Rockies,
*Kootenay National Park*
(D. WIGGETT)

Vue des Rocheuses canadiennes,
*parc national Kootenay*
(D. WIGGETT)

Lake O'Hara,
*Yoho National Park*
(J. SYLVESTER)

Lac O'Hara,
*parc national Yoho*
(J. SYLVESTER)

BELOW
Rogers Peak and Swiss Peak,
Hermit Meadows,
*Glacier National Park*
(A. GIBBS)

DESSOUS
Pic Rogers et pic Swiss,
prés Hermit,
*parc national des Glaciers*
(A. GIBBS)

OVERLEAF
Tokumm Creek,
Marble Canyon,
*Kootenay National Park*
(J.A. KRAULIS)

AU VERSO
Ruisseau Tokumm,
canyon Marble,
*parc national Kootenay*
(J.A. KRAULIS)

LEFT
Kicking Horse River shoreline,
*Yoho National Park*
(A. GIBBS)

À GAUCHE
Berge de la rivière Kicking Horse,
*parc national Yoho*
(A. GIBBS)

BELOW
Mount Macdonald,
*Glacier National Park*
(D. BENSON)

DESSOUS
Mont Macdonald,
*parc national des Glaciers*
(D. BENSON)

Combers Beach,
*Pacific Rim National Park Reserve*
(T. FITZHARRIS)

Plage Combers,
*réserve de parc national Pacific Rim*
(T. FITZHARRIS)

Sunset, Benson Island,
Broken Group Islands,
*Pacific Rim National Park Reserve*
(J.A. KRAULIS)

Coucher du soleil, île Benson,
archipel Broken Group,
*réserve de parc national Pacific Rim*
(J.A. KRAULIS)

Pools on the Opabin Plateau,
*Yoho National Park*
(D. WIGGETT)

Étangs sur le plateau Opabin,
*parc national Yoho*
(D. WIGGETT)

Mount Vaux and Chancellor Peak,
*Yoho National Park*
(D. WIGGETT)

Mont Vaux et pic Chancellor,
*parc national Yoho*
(D. WIGGETT)

Vermilion River,
*Kootenay National Park*
(D. WIGGETT)

Rivière Vermilion,
*parc national Kootenay*
(D. WIGGETT)

BELOW
Bald eagle on Long Beach,
*Pacific Rim National Park Reserve*
(A. DORST)

DESSOUS
Pygargue à tête blanche sur la plage Long,
*réserve de parc national Pacific Rim*
(A. DORST)

OVERLEAF
Temperate rainforest,
*Pacific Rim National Park Reserve*
(D. SANDERS)

AU VERSO
Forêt pluviale tempérée,
*réserve de parc national Pacific Rim*
(D. SANDERS)

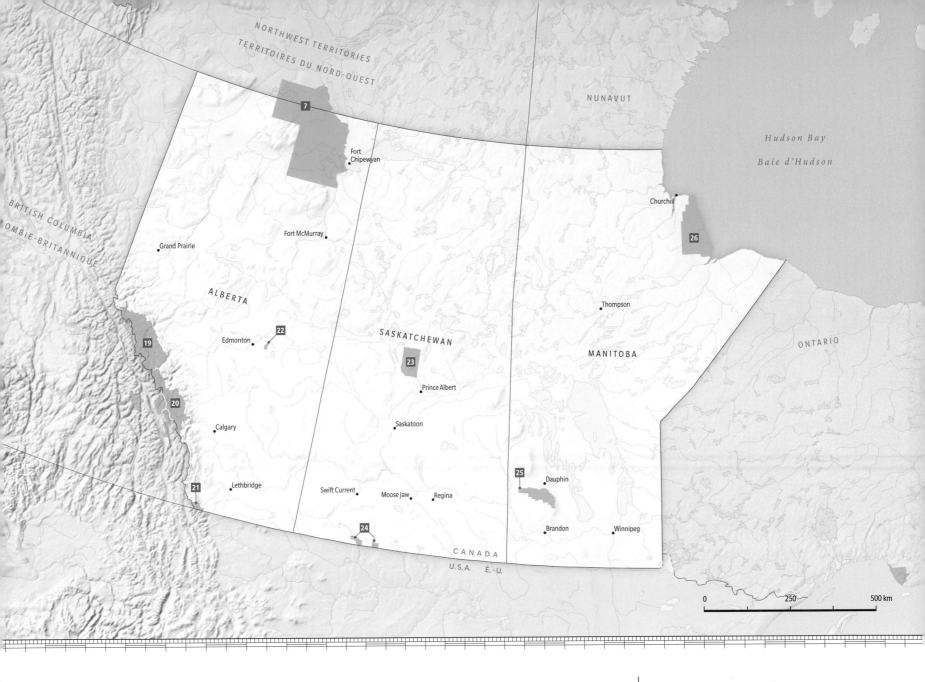

# Prairie Provinces | Provinces des Prairies
NATIONAL PARKS | LES PARCS NATIONAUX

**ALBERTA**
**7** Wood Buffalo*  **19** Jasper  **20** Banff
**21** Waterton Lakes  **22** Elk Island

**SASKATCHEWAN**
**23** Prince Albert  **24** Grasslands

**MANITOBA**
**25** Riding Mountain  **26** Wapusk

*see Northern Canada section

**ALBERTA**
**7** Wood Buffalo*  **19** Jasper  **20** Banff
**21** Lacs-Waterton  **22** Elk Island

**SASKATCHEWAN**
**23** Prince Albert  **24** Prairies

**MANITOBA**
**25** Mont-Riding  **26** Wapusk

*voir la section Nord du Canada

Red Rock Canyon,
*Waterton Lakes National Park*
(D. BENSON)

Canyon Red Rock,
*parc national des Lacs-Waterton*
(D. BENSON)

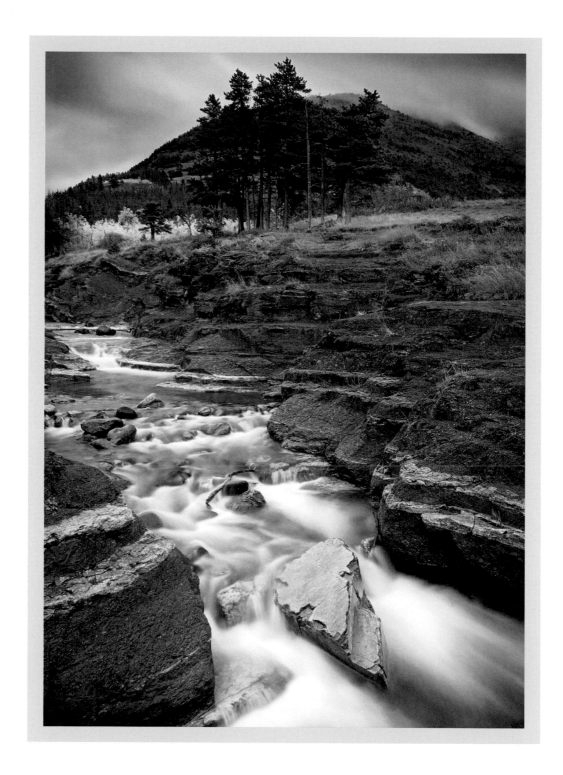

Bow Lake with Crowfoot
Mountain in the background,
*Banff National Park*
(D. WIGGETT)

Lac Bow et mont Crowfoot
à l'arrière-plan,
*parc national Banff*
(D. WIGGETT)

Frenchman River valley,
*Grasslands National Park*
(R. POSTMA)

Vallée de la rivière Frenchman,
*parc national des Prairies*
(R. POSTMA)

Red-necked grebe,
*Elk Island National Park*
(W. LYNCH)

Grèbe jougris,
*parc national Elk Island*
(W. LYNCH)

Fireweed,
Crowfoot Mountain,
*Banff National Park*
(D. WIGGETT)

Épilobes à feuilles étroites,
mont Crowfoot,
*parc national Banff*
(D. WIGGETT)

Astotin Lake at high water level,
*Elk Island National Park*
(M. and L. DEGNER)

Lac Astotin en crue,
*parc national Elk Island*
(M. et L. DEGNER)

70 Mile Butte,
*Grasslands National Park*
(R. POSTMA)

Butte 70-Mile,
*parc national des Prairies*
(R. POSTMA)

Blakiston Creek and Mountain,
*Waterton Lakes National Park*
(D. WIGGETT)

Ruisseau et mont Blakiston,
*parc national des Lacs-Waterton*
(D. WIGGETT)

Sun dogs,
*Wapusk National Park*
(W. LYNCH)

Parhélies,
*parc national Wapusk*
(W. LYNCH)

Mount Clitheroe, Tonquin Valley,
*Jasper National Park*
(D. BENSON)

Mont Clitheroe, vallée Tonquin,
*parc national Jasper*
(D. BENSON)

Porcupine,
*Elk Island National Park*
(M. GRANDMAISON)

Porc-épic,
*parc national Elk Island*
(M. GRANDMAISON)

LEFT
Castle Mountain and the
Bow River in winter,
*Banff National Park*
(D. WIGGETT)

À GAUCHE
Mont Castle et rivière
Bow en hiver,
*parc national Banff*
(D. WIGGETT)

BELOW
Epaulette Mountain and
the Mistaya River valley,
*Banff National Park*
(D. WIGGETT)

DESSOUS
Mont Epaulette et vallée
de la rivière Mistaya,
*parc national Banff*
(D. WIGGETT)

131

Tangle Falls,
*Jasper National Park*
(A. GIBBS)

Chutes Tangle,
*parc national Jasper*
(A. GIBBS)

Broad River at
Hudson Bay coast,
*Wapusk National Park*
(N. ROSING)

Rivière Broad sur la côte
de la baie d'Hudson,
*parc national Wapusk*
(N. ROSING)

Burrowing owl chicks,
a species at risk,
*Grasslands National Park*
(J. MARRIOTT)

Poussins de la chevêche des
terriers, une espèce en péril,
*parc national des Prairies*
(J. MARRIOTT)

Black-tailed prairie dogs,
a species at risk,
*Grasslands National Park*
(J. MARRIOTT)

Chiens de prairie,
une espèce en péril,
*parc national des Prairies*
(J. MARRIOTT)

Ruffed grouse,
*Riding Mountain National Park*
(R. ERWIN)

Gélinotte huppée,
*parc national du Mont-Riding*
(R. ERWIN)

Female polar bear and
cub at maternity den,
*Wapusk National Park*
(D. FAST)

Ourse polaire et ourson
à la tanière de mise bas,
*parc national Wapusk*
(D. FAST)

Storm clouds over
Crandell Mountain,
*Waterton Lakes National Park*
(J. SYLVESTER)

Nuages de tempête au-dessus
du mont Crandell,
*parc national des Lacs-Waterton*
(J. SYLVESTER)

BELOW
**Whirlpool Lake,**
*Riding Mountain National Park*
(M. GRANDMAISON)

DESSOUS
**Lac Whirlpool,**
*parc national du Mont-Riding*
(M. GRANDMAISON)

OVERLEAF
**Reflection in Horseshoe Lake,**
*Jasper National Park*
(D. WIGGETT)

AU VERSO
**Reflet dans le lac Horseshoe,**
*parc national Jasper*
(D. WIGGETT)

LEFT
Looking south over Cameron Lake,
*Waterton Lakes National Park*
(D. WIGGETT)

À GAUCHE
Vue du lac Cameron en direction sud,
*parc national des Lacs-Waterton*
(D. WIGGETT)

BELOW
Maligne Lake,
*Jasper National Park*
(D. WIGGETT)

DESSOUS
Lac Maligne,
*parc national Jasper*
(D. WIGGETT)

TOP
View of islands from
Pointe-aux-Esquimaux, circa 1925,
*Mingan Archipelago
National Park Reserve*
EN HAUT
Vue des îles depuis la
Pointe-aux-Esquimaux, vers 1925,
*réserve de parc national de
l'Archipel-de-Mingan*

BOTTOM
Helping visitors at the park
entrance gate, 1957,
*Point Pelee National Park*

EN BAS
Accueil des visiteurs à
l'entrée du parc, 1957,
*parc national de la Pointe-Pelée*

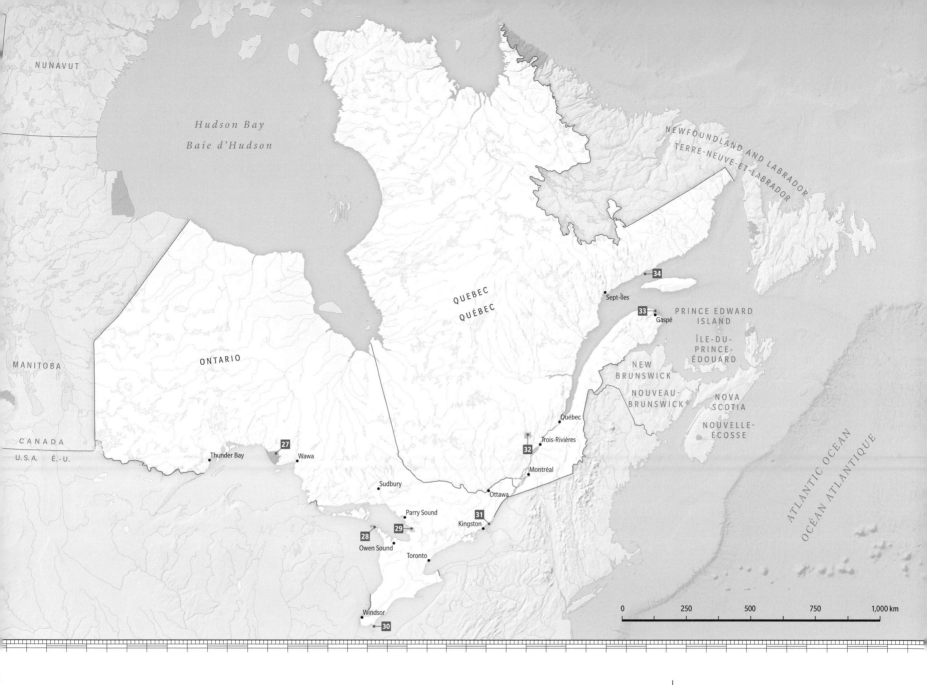

# Central Canada | Centre du Canada
NATIONAL PARKS | LES PARCS NATIONAUX

**ONTARIO**
27 Pukaskwa   28 Bruce Peninsula
29 Georgian Bay Islands   30 Point Pelee
31 St. Lawrence Islands

**QUEBEC**
32 La Mauricie   33 Forillon
34 Mingan Archipelago (National Park Reserve)

**ONTARIO**
27 Pukaskwa   28 Péninsule-Bruce
29 Îles-de-la-Baie-Georgienne   30 Pointe-Pelée
31 Îles-du-Saint-Laurent

**QUÉBEC**
32 La Mauricie   33 Forillon
34 Archipel-de-Mingan (Réserve de parc national)

Southern Headland Trail
near Hattie Cove,
*Pukaskwa National Park*
(R. ERWIN)

Sentier de la Pointe-Sud,
près de l'anse Hattie,
*parc national Pukaskwa*
(R. ERWIN)

Cap-Bon-Ami,
*Forillon National Park*
(D. WILSON)

Cap-Bon-Ami,
*parc national Forillon*
(D. WILSON)

Halfway Lake,
*Pukaskwa National Park*
(T. FITZHARRIS)

Lac Halfway,
*parc national Pukaskwa*
(T. FITZHARRIS)

Yellow spotted salamander,
*La Mauricie National Park*
(J. PLEAU)

Salamandre maculée,
*parc national de la Mauricie*
(J. PLEAU)

Prothonotary warbler,
a species at risk,
*Point Pelee National Park*
(E. MELEG)

Paruline orangée,
une espèce en péril,
*parc national de la Pointe-Pelée*
(E. MELEG)

Birdwatching in spring,
*Point Pelee National Park*
(M. GRANDMAISON)

Observation d'oiseaux au printemps,
*parc national de la Pointe-Pelée*
(M. GRANDMAISON)

LEFT
North Area cove,
*Forillon National Park*
(J.A. KRAULIS)

À GAUCHE
Anse du secteur Nord,
*parc national Forillon*
(J.A. KRAULIS)

BELOW
Halfway Log Dump,
*Bruce Peninsula National Park*
(M. GRANDMAISON)

DESSOUS
Halfway Log Dump,
*parc national de la Péninsule-Bruce*
(M. GRANDMAISON)

Canada geese in autumn vapour,
*St. Lawrence Islands National Park*
(I. CORISTINE)

Bernaches du Canada dans la brume automnale,
*parc national des Îles-du-Saint-Laurent*
(I. CORISTINE)

BELOW
Dusk, North Beach
near the Pic River,
*Pukaskwa National Park*
(L. FOX ROSSI)

DESSOUS
Crépuscule, plage Nord,
près de la rivière Pic,
*parc national Pukaskwa*
(L. FOX ROSSI)

OVERLEAF
Common terns taking flight,
*Point Pelee National Park*
(R. ERWIN)

AU VERSO
Sternes pierregarin à l'envol,
*parc national de la Pointe-Pelée*
(R. ERWIN)

Black bear,
*Forillon National Park*
(P. HENRY)

Ours noir,
*parc national Forillon*
(P. HENRY)

Monarch butterfly, a species at risk,
*Point Pelee National Park*
(E. MELEG)

Monarque, une espèce en péril,
*parc national de la Pointe-Pelée*
(E. MELEG)

Thousand Islands bridge,
*St. Lawrence Islands National Park*
(I. CORISTINE)

Pont des Mille-Îles,
*parc national des Îles-du-Saint-Laurent*
(I. CORISTINE)

McQuade Island,
*Georgian Bay Islands
National Park*
(E. MELEG)

Île McQuade,
*parc national des
Îles-de-la-Baie-Georgienne*
(E. MELEG)

Common loon,
*La Mauricie National Park*
(P. HENRY)

Plongeon huard,
*parc national de la Mauricie*
(P. HENRY)

Eastern foxsnake, a species at risk,
*Point Pelee National Park*
(E. MELEG)

Couleuvre fauve de l'Est, une espèce en péril,
*parc national de la Pointe-Pelée*
(E. MELEG)

LEFT
Monolith,
*Mingan Archipelago
National Park Reserve*
(D. BENSON)

À GAUCHE
Monolithe,
*réserve de parc national de
l'Archipel-de-Mingan*
(D. BENSON)

BELOW
Canvasback duck in winter,
*St. Lawrence Islands National Park*
(E. MELEG)

DESSOUS
Fuligule à dos blanc en hiver,
*parc national des Îles-du-Saint-Laurent*
(E. MELEG)

La Chute,
*Forillon National Park*
(D. JOHNSTON)

La Chute,
*parc national Forillon*
(D. JOHNSTON)

Male rose-breasted grosbeak,
*Georgian Bay Islands National Park*
(E. MELEG)

Cardinal à poitrine rose mâle,
*parc national des Îles-de-la-Baie-Georgienne*
(E. MELEG)

Limestone bluffs, Georgian Bay,
*Bruce Peninsula National Park*
(A. GIBBS)

Falaises de calcaire, baie Georgienne,
*parc national de la Péninsule-Bruce*
(A. GIBBS)

Île du Fantôme,
*Mingan Archipelago
National Park Reserve*
(M. CORBOZ)

Île du Fantôme,
*réserve de parc national de
l'Archipel-de-Mingan*
(M. CORBOZ)

184

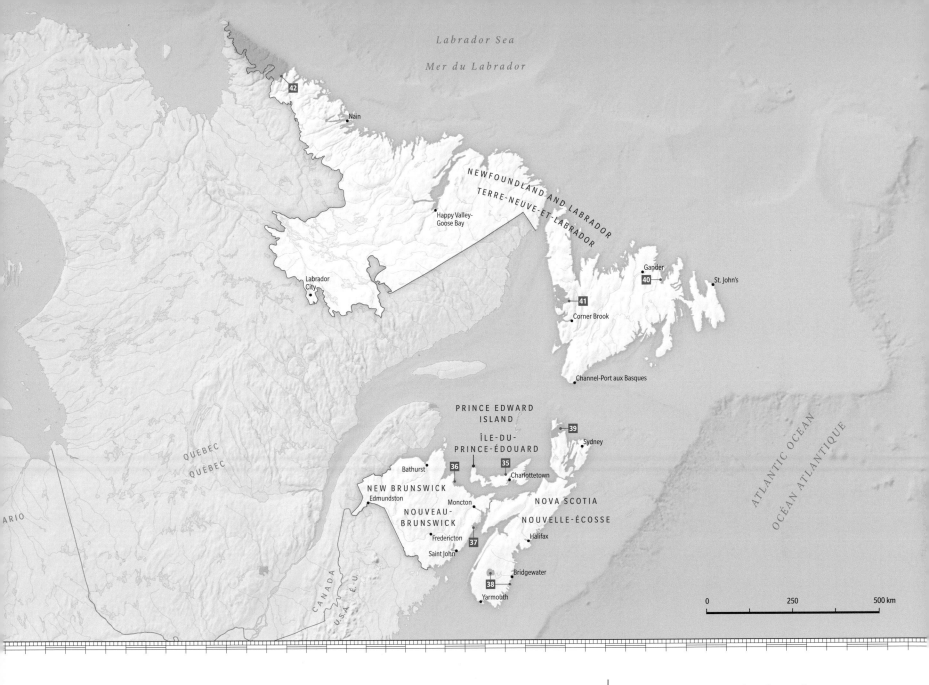

# Atlantic Provinces | Provinces de l'Atlantique
NATIONAL PARKS | LES PARCS NATIONAUX

**PRINCE EDWARD ISLAND**
35 Prince Edward Island

**NEW BRUNSWICK**
36 Kouchibouguac  37 Fundy

**NOVA SCOTIA**
38 Kejimkujik (National Park and National Historic Site)
39 Cape Breton Highlands

**NEWFOUNDLAND AND LABRADOR**
40 Terra Nova  41 Gros Morne
42 Torngat Mountains

**ÎLE-DU-PRINCE-ÉDOUARD**
35 Île-du-Prince-Édouard

**NOUVEAU-BRUNSWICK**
36 Kouchibouguac  37 Fundy

**NOUVELLE-ÉCOSSE**
38 Kejimkujik (Parc national et lieu historique national)
39 Hautes-Terres-du-Cap-Breton

**TERRE-NEUVE-ET-LABRADOR**
40 Terra-Nova  41 Gros-Morne
42 Monts-Torngat

MacKenzies River valley in autumn,
*Cape Breton Highlands National Park*
(D. WILSON)

Vallée de la rivière MacKenzies à l'automne,
*parc national des Hautes-Terres-du-Cap-Breton*
(D. WILSON)

Deciduous forest in late autumn,
*Fundy National Park*
(G. DAIGLE)

Forêt de feuillus à la fin de l'automne,
*parc national Fundy*
(G. DAIGLE)

LEFT
Near Reichel Head,
*Torngat Mountains National Park*
(G. GOODYEAR)

À GAUCHE
Abords du cap Reichel,
*parc national des Monts-Torngat*
(G. GOODYEAR)

BELOW
Shoreline at low tide,
*Fundy National Park*
(D. WILSON)

DESSOUS
Rivage à marée basse,
*parc national Fundy*
(D. WILSON)

Sand dunes and marram grass,
*Kouchibouguac National Park*
(J.A. KRAULIS)

Dunes de sable et ammophiles,
*parc national Kouchibouguac*
(J.A. KRAULIS)

Saglek Bay,
*Torngat Mountains National Park*
(J. KOBALENKO)

Baie Saglek,
*parc national des Monts-Torngat*
(J. KOBALENKO)

Ten Mile Pond,
*Gros Morne National Park*
(D. WILSON)

Étang Ten Mile,
*parc national du Gros-Morne*
(D. WILSON)

Dickson Falls,
*Fundy National Park*
(D. WILSON)

Chutes Dickson,
*parc national Fundy*
(D. WILSON)

195

LEFT
Mersey River,
*Kejimkujik National Park and
National Historic Site*
(D. BENSON)

À GAUCHE
Rivière Mersey,
*parc national et lieu historique
national Kejimkujik*
(D. BENSON)

BELOW
Rock crab,
*Terra Nova National Park*
(D. WILSON)

DESSOUS
Crabe commun,
*parc national Terra-Nova*
(D. WILSON)

Poison Ivy Falls,
*Kejimkujik National Park and
National Historic Site*
(D. WILSON)

Chutes Poison Ivy,
*parc national et lieu historique
national Kejimkujik*
(D. WILSON)

Boreal forest from
Blue Hill lookout,
*Terra Nova National Park*
(W. LYNCH)

Forêt boréale vue du belvédère
de la colline Blue,
*parc national Terra-Nova*
(W. LYNCH)

Kellys Beach,
*Kouchibouguac National Park*
(J. SYLVESTER)

Plage Kellys,
*parc national Kouchibouguac*
(J. SYLVESTER)

LEFT
Palmer River,
*Torngat Mountains National Park*
(H. WITTENBORN)

À GAUCHE
Rivière Palmer,
*parc national des Monts-Torngat*
(H. WITTENBORN)

BELOW
Southwest Arm, Saglek Fiord,
*Torngat Mountains National Park*
(H. WITTENBORN)

DESSOUS
Bras Southwest, fjord Saglek,
*parc national des Monts-Torngat*
(H. WITTENBORN)

Piping plover, a species at risk,
*Kouchibouguac National Park*
(G. DAIGLE)

Pluvier siffleur, une espèce en péril,
*parc national Kouchibouguac*
(G. DAIGLE)

Canada geese taking flight,
*Kouchibouguac National Park*
(D. WILSON)

Bernaches du Canada à l'envol,
*parc national Kouchibouguac*
(D. WILSON)

Jakes Landing,
red maple floodplain,
*Kejimkujik National Park and*
*National Historic Site*
(D. WILSON)

Jakes Landing,
plaine inondable d'érables rouges,
*parc national et lieu historique*
*national Kejimkujik*
(D. WILSON)

LEFT
Lesser yellowlegs,
*Prince Edward Island National Park*
(J. SYLVESTER)

À GAUCHE
Petit chevalier,
*parc national de*
*l'Île-du-Prince-Édouard*
(J. SYLVESTER)

BELOW
Beulach Ban Falls,
*Cape Breton Highlands National Park*
(D. WILSON)

DESSOUS
Chutes Beulach Ban,
*parc national des*
*Hautes-Terres-du-Cap-Breton*
(D. WILSON)

Harbour Rocks,
*Kejimkujik National Park –
Seaside*
(D. WILSON)

Harbour Rocks,
*parc national Kejimkujik –
Bord de mer*
(D. WILSON)

Woodland caribou,
*Torngat Mountains National Park*
(H. WITTENBORN)

Caribou des bois,
*parc national des Monts-Torngat*
(H. WITTENBORN)

Along the Kouchibouguac River,
*Kouchibouguac National Park*
(G. DAIGLE)

Le long de la rivière Kouchibouguac,
*parc national Kouchibouguac*
(G. DAIGLE)

Sea ice, Cape Turner,
*Prince Edward Island National Park*
(J. SYLVESTER)

Glace de mer, cap Turner,
*parc national de l'Île-du-Prince-Édouard*
(J. SYLVESTER)

LEFT
Dunes at Brackley Beach,
*Prince Edward Island National Park*
(J. SYLVESTER)

À GAUCHE
Dunes de la plage Brackley,
*parc national de l'Île-du-Prince-Édouard*
(J. SYLVESTER)

BELOW
Gros Morne Mountain,
*Gros Morne National Park*
(D. WILSON)

DESSOUS
Gros Morne,
*parc national du Gros-Morne*
(D. WILSON)

Newman Sound at dawn,
*Terra Nova National Park*
(W. BARRETT)

Fjord Newman à l'aube,
*parc national Terra-Nova*
(W. BARRETT)

218

Pillar Rock,
*Cape Breton Highlands
National Park*
(J. SYLVESTER)

Pillar Rock,
*parc national des
Hautes-Terres-du-Cap-Breton*
(J. SYLVESTER)

Salt marsh in fog,
*Fundy National Park*
(M. GRANDMAISON)

Marais salé sous la brume,
*parc national Fundy*
(M. GRANDMAISON)

BELOW
Hoar frost on conifers,
South East Hills,
*Gros Morne National Park*
(D. WILSON)

DESSOUS
Conifères couverts de givre,
collines South East,
*parc national du Gros-Morne*
(D. WILSON)

OVERLEAF
Storm clouds over dunes
at Brackley Beach,
*Prince Edward Island National Park*
(J. SYLVESTER)

AU VERSO
Nuages de tempête au-dessus des
dunes de la plage Brackley,
*parc national de l'Île-du-Prince-Édouard*
(J. SYLVESTER)

LEFT
**Black bear on car in
park campground, 1954,**
*Jasper National Park*

À GAUCHE
Ours noir sur une voiture dans le
terrain de camping du parc, 1954,
*parc national Jasper*

RIGHT
**Park warden and visitors,
date unknown,**
*Terra Nova National Park*

À DROITE
Garde de parc et visiteurs,
date inconnue,
*parc national Terra-Nova*

## AULAVIK

*Aulavik National Park* protects a windswept tundra landscape on Banks Island. Meaning "place where people travel" in Inuvialuktun, Aulavik encompasses a variety of landscapes—from fertile river valleys to polar deserts, buttes and badlands, rolling hills, and bold seacoasts—and is home to both the endangered Peary caribou and the highest density of muskoxen in the world. Visitors to Aulavik, with the Thomsen River at its heart, have a chance to paddle one of the continent's most northerly navigable waterways. The wildlife and land have supported Aboriginal peoples, from Pre-Dorset cultures to contemporary Inuvialuit, for more than thirty-four hundred years.

Aulavik
National Park

**TERRITORY:**
Northwest Territories

**CREATED:** 1992

**SIZE:** 12,200 sq km

**NATURAL REGION REPRESENTED:**
Western Arctic Lowlands

## ARCHIPEL-DE-MINGAN

D'étranges piliers rocheux sculptés par le vent et la mer créent le paysage unique de la *réserve de parc national de l'Archipel-de-Mingan*, un collier de pierre ciselé dans le substrat calcaire. Les monolithes saisissants de Mingan offrent aux visiteurs la possibilité unique de découvrir la plus grande concentration de ces chefs-d'œuvres naturels au Canada. Situé sur la rive nord du golfe du Saint-Laurent, la réserve de parc national rassemble plus d'un millier d'îlots et de récifs granitiques et une trentaine d'îles de calcaire, où nichent macareux et autres oiseaux de mer, tandis que les baleines se nourrissent dans les eaux foisonnantes du large.

Réserve de parc national de
l'Archipel-de-Mingan

**PROVINCE:** Québec

**CRÉATION:** 1984

**SUPERFICIE:** 150,7 km carrés

**RÉGION NATURELLE REPRÉSENTÉE:**
Basses-terres du
Saint-Laurent de l'Est

## AUYUITTUQ

Where sweeping glaciers and polar sea ice meet jagged granite mountains, *Auyuittuq National Park* on southern Baffin Island takes its name from an Inuktitut word meaning "land that never melts." The glacier-scoured terrain protected by the park includes the highest peaks of the Canadian Shield, the Penny Ice Cap, marine shorelines along coastal fiords, and Akshayuk Pass—a traditional travel corridor used by the Inuit for thousands of years. Whether visitors wish to climb Auyuittuq's rugged peaks, ski on its pristine icefields, or hike the scenic Akshayuk Pass, this park offers unique opportunities to experience the beauty and majesty of the Arctic.

Auyuittuq
National Park

**TERRITORY:** Nunavut

**CREATED:** 1972

**SIZE:** 19,089 sq km

**NATURAL REGION REPRESENTED:**
Northern Davis Region

## AULAVIK

Le *parc national Aulavik* protège la toundra venteuse de l'île Banks. Aulavik, « endroit où les gens voyagent » en inuvialuktun, englobe divers paysages allant des vallées fluviales fertiles aux déserts polaires, en passant par des buttes, des bad-lands, des collines ondulées et un littoral abrupt. Il abrite le caribou de Peary, en voie de disparition, et la plus haute densité de bœufs musqués au monde. Au cœur d'Aulavik, la rivière Thomsen permet de pagayer sur une des voies navigables les plus au nord du continent. Depuis plus de 3 400 ans, la faune et le territoire font vivre les peuples autochtones, des cultures pré-Dorset aux Inuvialuits modernes.

Parc national
Aulavik

**TERRITOIRE:**
Territoires du Nord-Ouest

**CRÉATION:** 1992

**SUPERFICIE:** 12 200 km carrés

**RÉGION NATURELLE REPRÉSENTÉE:**
Basses-terres de l'Arctique
Ouest

---

A **national park reserve** is an area set aside for national park purposes pending settlement of an outstanding Aboriginal claim, or claims, that the federal government has accepted for negiotiation.

**Created** refers to the year in which the lands were designated for national park purposes or the year in which an agreement was signed to establish the park.
**Size** in square kilometres reflects the most accurate information available at time of printing.
**Natural regions** are shown on the map, page 17.

Par **réserve de parc national,** on entend une zone réservée à l'aménagement d'un parc national une fois que seront réglées une ou plusieurs revendications autochtones que le gouvernement fédéral a accepté de négocier.

Par **création,** on entend soit l'année où des terres ont été réservées pour l'aménagement du parc national, soit celle de la signature de l'entente de constitution du parc.
La **superficie** en kilomètres carrés correspond aux chiffres les plus précis en main au moment d'imprimer le présent livre.
Les **régions naturelles** sont présentées sur la carte, page 17.

## BANFF

*Banff National Park,* Canada's first national park and the world's third, is known for its spectacular rugged mountains, glaciers, icefields, alpine meadows, glacial valleys, cold-water lakes, fast-flowing rivers, and mineral hot springs. Home to a diverse range of species, from the iconic grizzly bear to the endangered Banff springs snail, Banff is part of the Canadian Rocky Mountain Parks UNESCO World Heritage Site. With hundreds of kilometres of trails, premier hotels, tremendous camping, hiking, skiing, and climbing opportunities, and unparalleled visitor services in the communities of Banff and Lake Louise, Banff National Park is also a world-class tourism attraction.

Banff
National Park

**PROVINCE:** Alberta

**CREATED:** 1885

**SIZE:** 6,641 sq km

**NATURAL REGION REPRESENTED:**
Rocky Mountains

## AUYUITTUQ

Au *parc national Auyuittuq,* du mot inuktitut pour « pays des glaces éternelles », la glace de mer polaire rencontre des glaciers immenses et des montagnes de granit aux sommets déchiquetés. Ce territoire érodé par les glaciers du sud de l'île de Baffin réunit les plus hauts sommets du Bouclier canadien, la calotte glaciaire Penny, le rivage de fjords côtiers et le col Akshayuk, corridor de migration millénaire des Inuits. Que ce soit l'escalade des pics escarpés d'Auyuittuq, le ski sur ses champs de glace vierges ou la randonnée par le col Akshayuk, ce parc offre des moyens exceptionnels de découvrir la beauté et la majesté de l'Arctique.

Parc national
Auyuittuq

**TERRITOIRE:** Nunavut

**CRÉATION:** 1972

**SUPERFICIE:** 19 089 km carrés

**RÉGION NATURELLE REPRÉSENTÉE:**
Région de Davis du Nord

## BRUCE PENINSULA

Conserving one of the largest pockets of wilderness remaining in Southern Ontario, *Bruce Peninsula National Park* is a spectacular yet fragile land of rare orchids, limestone cliffs, ancient forest, and intricate underground drainage. The world-famous Bruce Trail, Canada's oldest and longest footpath, hugs the edge of the Niagara Escarpment as it passes through Bruce Peninsula, presenting visitors with a wide range of year-round possibilities—including hiking, cross-country skiing, and snowshoeing—for discovering and exploring the park. Together, Bruce Peninsula National Park and Fathom Five National Marine Park form the Core Area of the Niagara Escarpment World Biosphere Reserve.

Bruce Peninsula
National Park

**PROVINCE:** Ontario

**CREATED:** 1987

**SIZE:** 154 sq km

**NATURAL REGION REPRESENTED:**
West St. Lawrence Lowland

## BANFF

Premier parc national au Canada, troisième au monde, le *parc national Banff* est réputé pour ses paysages spectaculaires où se côtoient montagnes, glaciers, champs de glace, prés alpins, vallées glaciaires, lacs d'eaux froides, rivières au courant rapide et sources thermominérales. Protégeant maintes créatures sauvages, du célèbre grizzly à la physe des fontaines de Banff, en voie de disparition, Banff fait partie du site du patrimoine mondial de l'UNESCO des parcs des montagnes Rocheuses canadiennes. Ses centaines de kilomètres de sentiers, ses hôtels prestigieux, ses superbes aménagements de camping, de randonnée, de ski et d'escalade, et les services exceptionnels des localités de Banff et de Lake Louise font du parc national Banff une attraction touristique de calibre international.

Parc national
Banff

**PROVINCE:** Alberta

**CRÉATION:** 1885

**SUPERFICIE:** 6 641 km carrés

**RÉGION NATURELLE REPRÉSENTÉE:**
Montagnes Rocheuses

## CAPE BRETON HIGHLANDS

Home to a unique blend of habitats and northern and southern species of flora and fauna, *Cape Breton Highlands National Park* is known for its spectacular highlands and ocean scenery. Steep cliffs and deep river canyons carve into a forested plateau bordering the Atlantic Ocean, and one third of the world-famous Cabot Trail winds through the park along the coast. Cape Breton Highlands offers visitors a variety of wilderness experiences—from hiking and camping to cross-country skiing and snowshoeing—as well as the opportunity to discover cultural resources that reflect a long, rich history of use by Mi'kmaq, Acadian and Gaelic peoples.

Cape Breton Highlands
National Park
**PROVINCE:** Nova Scotia
**CREATED:** 1936
**SIZE:** 948 sq km
**NATURAL REGION REPRESENTED:**
Maritime Acadian Highlands

## ELK ISLAND

Le *parc national Elk Island* protège la nature sauvage de la forêt-parc à trembles, un des habitats les plus menacés au pays. Cette magnifique oasis réunit des troupeaux de bisons des plaines, des bisons des bois, des orignaux, des cerfs de Virginie et des wapitis. Plus de 250 espèces d'oiseaux y attendent les ornithologues amateurs. Les vestiges d'anciens campements autochtones et de sites de fabrication d'outils de pierre remontant à l'ère du recul des glaciers témoignent de la longue histoire culturelle d'Elk Island. Le parc a de quoi satisfaire de multiples intérêts, dont l'observation de la nature, la randonnée, le ski de fond, le pique-nique et le camping.

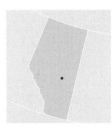

Parc national
Elk Island
**PROVINCE:** Alberta
**CRÉATION:** 1913
**SUPERFICIE:** 194 km carrés
**RÉGION NATURELLE REPRÉSENTÉE:**
Plaines et plateaux
boréaux du Sud

## ELK ISLAND

*Elk Island National Park* protects the wilderness of the aspen parkland, unique in the world and one of the most endangered habitats in Canada. Home to herds of plains bison, wood bison, moose, deer and elk, the park is also a bird watcher's paradise boasting over two hundred and fifty species of birds. Elk Island has an extensive cultural history that includes the remnants of ancient Aboriginal campsites and stone tool-making sites that date back to the receding of the glaciers. Elk Island is a park that appeals to many interests, including wildlife viewing, hiking, cross-country skiing, picnicking, and overnight camping.

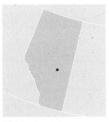

Elk Island
National Park
**PROVINCE:** Alberta
**CREATED:** 1913
**SIZE:** 194 sq km
**NATURAL REGION REPRESENTED:**
Southern Boreal Plains
and Plateaux

## FORILLON

Les majestueux paysages du *parc national Forillon,* tout au bout de la péninsule gaspésienne, sont taillés dans la mer, les falaises et les montagnes. Étroite péninsule montagneuse qui s'avance dans le golfe du Saint-Laurent, Forillon constitue l'extrémité orientale de la chaîne des Appalaches. On y observe des ours noirs, des orignaux, des mammifères marins et des colonies d'oiseaux de mer. Ses formations rocheuses et sa flore arctique-alpine donnent son caractère unique à ce parc. On peut visiter Forillon toute l'année pour y faire de la randonnée, du vélo, de l'observation de baleines, du kayak, de la plongée, du ski de fond, de la raquette et du traîneau à chiens.

Parc national
Forillon
**PROVINCE:** Québec
**CRÉATION:** 1970
**SUPERFICIE:** 217 km carrés
**RÉGION NATURELLE REPRÉSENTÉE:**
Monts Notre-Dame et
Mégantic

## FORILLON

The majestic landscapes of *Forillon National Park,* located at the farthest reach of the Gaspé Peninsula, are carved out of the sea, cliffs, and mountains. Forillon marks the eastern end of the Appalachian mountain range, taking in a narrow, mountainous peninsula that extends into the Gulf of St. Lawrence. It is home to black bear, moose, marine mammals, and colonies of seabirds, and its diversity of rock formations and arctic-alpine plants give this park its unique character. Forillon can be enjoyed year-round through activities ranging from hiking, bicycling, whale watching, and kayaking to scuba diving, cross-country skiing, snowshoeing, and dogsledding.

Forillon
National Park

**PROVINCE:** Quebec

**CREATED:** 1970

**SIZE:** 217 sq km

**NATURAL REGION REPRESENTED:**
Notre Dame and
Megantic Mountains

## FUNDY

Le *parc national Fundy* comporte deux fronts : la côte, où les marées, parmi les plus hautes au monde, tour à tour dévoilent et recouvrent un ruban de vasières, de marais salés et de bâches; et l'intérieur, caractérisé par des plateaux accidentés, des ravins abrupts, des vallées fluviales encaissées, des forêts ombragées et des ruisseaux aux eaux vives. Parmi les plantes et animaux rares protégés au parc figurent la primevère laurentienne, la couleuvre à collier et les salamandres à quatre doigts, sombre et à points bleus. La randonnée sur les nombreux sentiers du parc, le canotage, le camping, la raquette et le ski de fond sont d'excellentes façons de découvrir Fundy.

Parc national
Fundy

**PROVINCE :**
Nouveau-Brunswick

**CRÉATION :** 1948

**SUPERFICIE :** 205,9 km carrés

**RÉGION NATURELLE REPRÉSENTÉE :**
Hautes-terres acadiennes
des Maritimes

## FUNDY

*Fundy National Park* has two faces: the coast, where some of the world's highest tides alternately expose and submerge a ribbon of mudflats, salt marshes, and tidal pools—an area not part of the land yet not entirely belonging to the sea; and the inland face, characterized by rugged plateaus, steep ravines, deeply cut river valleys, shady forests, and tumbling streams. Among the flora and fauna protected by the park are the rare bird's-eye primrose, ring-necked snake, and four-toed, dusky and blue-spotted salamanders. Hiking the park's many trails, paddling, camping, snowshoeing, and cross-country skiing are among the many ways to experience Fundy.

Fundy
National Park

**PROVINCE:** New Brunswick

**CREATED:** 1948

**SIZE:** 205.9 sq km

**NATURAL REGION REPRESENTED:**
Maritime Acadian Highlands

## GLACIERS

Au *parc national des Glaciers,* la forêt pluviale luxuriante de l'intérieur de la Colombie-Britannique et les glaciers survivants des glaciations se côtoient. Avec ses montagnes vertigineuses et son climat chaud et humide, le parc abrite une flore et une faune variées, notamment des peuplements uniques de cèdres et de pruches centenaires et certains habitats vitaux pour des créatures comme la chèvre de montagne, le carcajou, le grizzly, le lagopède à queue blanche et la marmotte des Rocheuses. Berceau de l'alpinisme en Amérique du Nord, le parc national des Glaciers offre aussi aux visiteurs des occasions incomparables de pratiquer la randonnée, la spéléologie et le ski de randonnée en arrière-pays.

Parc national des
Glaciers

**PROVINCE :**
Colombie-Britannique

**CRÉATION :** 1886

**SUPERFICIE :** 1 349 km carrés

**RÉGION NATURELLE REPRÉSENTÉE :**
Chaîne Columbia

### GEORGIAN BAY ISLANDS

*Georgian Bay Islands National Park* is made up of sixty-three islands and shoals on the east side of Georgian Bay. Lying on the edge of the Canadian Shield, these rugged islands, accessible by boat only, are characterized by barren, glacier-scraped rock, sheltered coves, rocky points, cobble beaches, mixed forests, and windswept pines. They are home to a great diversity of flora and fauna, including the threatened eastern massasauga rattlesnake. With an idyllic backdrop of breathtaking landscapes, Georgian Bay Islands National Park offers a host of visitor activities, including hiking, camping, swimming, paddling, and sailing.

Georgian Bay Islands National Park

**PROVINCE:** Ontario

**CREATED:** 1929

**SIZE:** 14 sq km

**NATURAL REGIONS REPRESENTED:** West St. Lawrence Lowland; Central Great Lakes— St. Lawrence Precambrian Region

### GROS-MORNE

Le *parc national du Gros-Morne* est un univers spectaculaire où voisinent crêtes et falaises vertigineuses, tourbières côtières et toundra des plateaux, fjords et lacs intérieurs impressionnants. Gros-Morne est un des seuls endroits au monde où affleurent les roches du manteau terrestre. Nommé site du patrimoine mondial de l'UNESCO en raison de sa géologie unique et de sa beauté exceptionnelle, le parc sert d'habitat à une flore et une faune abondantes composant une association unique d'espèces tempérées, boréales et arctiques. Outre l'observation de la nature, Gros-Morne propose toutes sortes d'activités, notamment la randonnée, le kayak, les excursions en bateau, le camping, le ski et la raquette.

Parc national du Gros-Morne

**PROVINCE:** Terre-Neuve-et-Labrador

**CRÉATION:** 1973

**SUPERFICIE:** 1 805 km carrés

**RÉGIONS NATURELLES REPRÉSENTÉES:** Hautes-terres de l'ouest de Terre-Neuve; Basses-terres du Saint-Laurent de l'Est

### GLACIER

British Columbia's lush interior rainforest and remnant glaciers from ice ages past can both be found in *Glacier National Park*. Noted for its steep, rugged mountains and warm, moist climate, Glacier features a diversity of plant and animal life. The park protects unique stands of old-growth cedar and hemlock and critical habitat for wildlife species including the mountain goat, wolverine, grizzly bear, white-tailed ptarmigan, and hoary marmot. Acknowledged as the birthplace of mountaineering in North America, Glacier offers visitors unparalleled hiking, caving, mountaineering, and world-renowned backcountry ski touring opportunities.

Glacier National Park

**PROVINCE:** British Columbia

**CREATED:** 1886

**SIZE:** 1,349 sq km

**NATURAL REGION REPRESENTED:** Columbia Mountains

### GWAII HAANAS

La *réserve de parc national et site du patrimoine haïda Gwaii Haanas*, royaume de forêts pluviales et de prairies alpines, réunit la beauté sauvage et la riche écologie de la côte du Pacifique. Réputé pour ses interactions entre les environnements terrestre et marin et ses nombreuses ressources patrimoniales haïdas, Gwaii Haanas célèbre la relation spéciale que les Haïdas y entretiennent depuis plus de 10 000 ans avec la terre et la mer. Gwaii Haanas, ou « îles d'émerveillement et de beauté », séduit par sa riche diversité naturelle où oiseaux de mer, otaries et une sous-espèce unique d'ours noir côtoient baleines grises, épaulards, rorquals à bosse et petits rorquals.

Réserve de parc national et site du patrimoine haïda Gwaii Haanas

**PROVINCE:** Colombie-Britannique

**CRÉATION:** 1987

**SUPERFICIE:** 1 474,4 km carrés

**RÉGION NATURELLE REPRÉSENTÉE:** Chaîne côtière du Pacifique

## GRASSLANDS

Glowing sunsets, striking badlands, ancient tipi rings, expansive river valleys, and rare plants and animals are just a few of the unique attractions waiting to be discovered in *Grasslands National Park*—one of the largest and least disturbed remaining pockets of mixed-grass prairie habitat in North America. The park protects a diversity of wildlife, including the burrowing owl and the only remaining black-tailed prairie dog colonies in Canada. Achieving real results for species at risk recovery, Grasslands has reintroduced the swift fox, plains bison, and the black-footed ferret—once considered North America's rarest mammal.

Grasslands
National Park

**PROVINCE:** Saskatchewan

**CREATED:** 1981

**SIZE:** 571 sq km

**NATURAL REGION REPRESENTED:**
Prairie Grasslands

## HAUTES-TERRES-DU-CAP-BRETON

Site d'une association unique d'habitats et d'espèces végétales et animales typiques des régions méridionales et septentrionales, le *parc national des Hautes-Terres-du-Cap-Breton* est reconnu pour ses paysages montagneux et océaniques spectaculaires. Des falaises abruptes et de profonds canyons entaillent un plateau boisé en bordure de l'Atlantique, où passe le tiers du célèbre Cabot Trail. Le parc propose aux visiteurs toutes sortes d'expériences dans la nature, de la randonnée et du camping au ski de fond et à la raquette, ainsi que la possibilité de découvrir les ressources culturelles témoignant de la riche histoire d'occupation par les Mi'kmaq, les Acadiens et les gens de langue gaélique.

Parc national des
Hautes-Terres-du-
Cap-Breton

**PROVINCE :** Nouvelle-Écosse

**CRÉATION :** 1936

**SUPERFICIE :** 948 km carrés

**RÉGION NATURELLE REPRÉSENTÉE :**
Hautes-terres acadiennes
des Maritimes

## GROS MORNE

*Gros Morne National Park* is a world of spectacular landscapes: sharp ridges and huge cliffs, coastal bogs and highland tundra, dramatic ocean inlets and lakes. One of the few places on the globe where rocks from deep within the earth are exposed, Gros Morne was declared a UNESCO World Heritage Site in recognition of its unique geology and exceptional beauty. The park provides habitat for a vast array of flora and fauna, a unique mixture of temperate, boreal, and arctic species. In addition to wildlife viewing, Gros Morne's diverse range of visitor activities includes hiking, kayaking, boat tours, camping, skiing, and snowshoeing.

Gros Morne
National Park

**PROVINCE:**
Newfoundland and Labrador

**CREATED:** 1973

**SIZE:** 1,805 sq km

**NATURAL REGIONS REPRESENTED:**
Western Newfoundland
Highlands; East St. Lawrence
Lowland

## ÎLE-DU-PRINCE-ÉDOUARD

Région de dunes, de falaises de grès rouge et de plages interminables, le *parc national de l'Île-du-Prince-Édouard* est un système dynamique de sable déplacé par le vent et les vagues. Ses habitats variés (îles-barrières, flèches de sable, terres humides dulcicoles et marais salés) abritent une flore et une faune variées, dont l'aster du Saint-Laurent, une espèce menacée, et le pluvier siffleur, en voie de disparition. En allant au bout de la péninsule Greenwich, on peut observer de rares dunes paraboliques et des vestiges de peuplements humains datant de l'occupation par les premiers Autochtones il y a 10 000 ans.

Parc national de
l'Île-du-Prince-Édouard

**PROVINCE :**
Île-du-Prince-Édouard

**CRÉATION :** 1937

**SUPERFICIE :** 27 km carrés

**RÉGION NATURELLE REPRÉSENTÉE :**
Plaine maritime

## GULF ISLANDS

Featuring open meadows, forested hills, rocky headlands, quiet coves, and sandy beaches, *Gulf Islands National Park Reserve*'s fifteen islands, numerous islets, and reefs are a peaceful refuge from the urban clamour of Vancouver and Victoria. The national park reserve safeguards a portion of British Columbia's beautiful southern archipelago in one of the most ecologically at-risk natural regions in southern Canada and provides valuable habitat for seals, sea otters, and nesting shorebirds. For thousands of years, these islands have provided for the Coast Salish First Nations and, to this day, continue to offer visitors opportunities for reflection, recreation, and enjoyment.

Gulf Islands
National Park Reserve

**PROVINCE:** British Columbia

**CREATED:** 2003

**SIZE:** 35.9 sq km

**NATURAL REGION REPRESENTED:** Strait of Georgia Lowlands

## GWAII HAANAS

*Gwaii Haanas National Park Reserve and Haida Heritage Site* encompasses the rainforests and alpine meadows of southern Haida Gwaii and embodies the rugged beauty and rich ecology of the Pacific coast. Noted for its interplay of land and marine environments and abundance of Haida heritage features, Gwaii Haanas is a celebration of over ten thousand years of Haida connection with the land and sea. Meaning "islands of wonder and beauty," Gwaii Haanas awes visitors with a rich diversity of wildlife, including seabirds, sea lions, a unique subspecies of black bear, as well as grey whales, killer whales (orcas), humpback and minke whales.

Gwaii Haanas
National Park Reserve and
Haida Heritage Site

**PROVINCE:** British Columbia

**CREATED:** 1987

**SIZE:** 1,474.4 sq km

**NATURAL REGION REPRESENTED:** Pacific Coast Mountains

## ÎLES-DE-LA-BAIE-GEORGIENNE

Sur la rive est de la baie Georgienne, le *parc national des Îles-de-la-Baie-Georgienne* regroupe 63 îles et hauts-fonds. Accessibles seulement par bateau, ces îles rocheuses de la marge du Bouclier canadien se caractérisent par leurs roches nues décapées par les glaciers, leurs anses protégées, leurs pointes rocheuses, leurs plages de galets, leurs forêts mixtes et leurs pins battus par les vents. Le parc abrite une flore et une faune très riches, dont le massasauga, un serpent à sonnettes menacé. Sur un fond idyllique de paysages saisissants, le parc permet de nombreuses activités, notamment la randonnée, la baignade, le camping, l'aviron et la voile.

Parc national des
Îles-de-la-Baie-Georgienne

**PROVINCE:** Ontario

**CRÉATION:** 1929

**SUPERFICIE:** 14 km carrés

**RÉGIONS NATURELLES REPRÉSENTÉES:** Basses-terres du Saint-Laurent de l'Ouest; Région précambrienne du Saint-Laurent et des Grands Lacs du Centre

## ÎLES-DU-SAINT-LAURENT

Situé au cœur des Mille-Îles, le *parc national des Îles-du-Saint-Laurent* comprend des terres riveraines et plus de 20 îles au long d'une bande de 80 kilomètres du fleuve Saint-Laurent. Une flore et une faune d'une remarquable diversité vivent sur ces îles, sommets granitiques érodés par les glaciers de l'ancienne chaîne montagneuse qui reliait le Bouclier canadien aux monts Adirondacks. Joyau minuscule doté d'une histoire naturelle et humaine riche et complexe, le parc national permet de nombreuses activités, de l'exploration des falaises, des plages de sable et des forêts à l'observation des oiseaux, la navigation de plaisance et la plongée.

Parc national des
Îles-du-Saint-Laurent

**PROVINCE:** Ontario

**CRÉATION:** 1904

**SUPERFICIE:** 23,5 km carrés

**RÉGION NATURELLE REPRÉSENTÉE:** Région précambrienne du Saint-Laurent et des Grands Lacs du Centre

### IVVAVIK

Meaning "a place for giving birth, a nursery" in Inuvialuktun, Ivvavik is home to an abundant variety of wildflowers, birds, fish, and animals. *Ivvavik National Park* protects a portion of the Porcupine caribou herd's calving grounds and is part of the traditional homeland of the Inuvialuit, who have relied on the caribou for sustenance for thousands of years. Ivvavik is a wilderness paradise of river valleys, tundra, seacoast, and mountains, including the only extensive non-glaciated mountain range in Canada. The Firth River is the centrepiece of the park and offers visitors a world-class, white-water river of exceptional beauty and diversity.

Ivvavik
National Park

**TERRITORY:** Yukon

**CREATED:** 1984

**SIZE:** 9,750 sq km

**NATURAL REGIONS REPRESENTED:**
Northern Yukon; Mackenzie
Delta

### ÎLES-GULF

Formée de quinze îles, de nombreux îlots et de récifs, la *réserve de parc national des Îles-Gulf* est un refuge paisible à l'écart de l'agitation urbaine de Vancouver et Victoria. Avec ses prés ouverts, ses collines boisées, ses caps rocheux, ses anses calmes et ses plages de sable, elle protège une partie de l'archipel méridional de la Colombie-Britannique, une des régions écologiques les plus vulnérables du sud du Canada. Précieux habitat des phoques, des loutres de mer et des oiseaux de rivage nicheurs, ces îles sont depuis des millénaires le domaine des Premières nations Salish de la côte et offrent aux visiteurs encore aujourd'hui des occasions de réflexion, de détente et de découverte.

Réserve de parc national des
Îles-Gulf

**PROVINCE:**
Colombie-Britannique

**CRÉATION:** 2003

**SUPERFICIE:** 35,9 km carrés

**RÉGION NATURELLE REPRÉSENTÉE:**
Basses-terres du détroit
de Georgia

### JASPER

The largest of the four national parks comprising the Canadian Rocky Mountain Parks UNESCO World Heritage Site, *Jasper National Park* features scenery ranging from cascading waterfalls to alpine meadows carpeted in wildflowers. Large numbers of elk, bighorn sheep, mule deer, as well as predators such as grizzly bears, mountain lions, wolves, and wolverines, make this one of the great protected ecosystems remaining in the Rocky Mountains. Jasper has over twelve hundred kilometres of hiking trails to explore, and the Icefields Parkway—one of the world's most scenic drives—takes visitors to the Athabasca Glacier, the most accessible glacier in North America.

Jasper
National Park

**PROVINCE:** Alberta

**CREATED:** 1907

**SIZE:** 10,878 sq km

**NATURAL REGION REPRESENTED:**
Rocky Mountains

### IVVAVIK

Le *parc national Ivvavik*, dont le nom signifie « lieu où l'on donne la vie » en inuvialuktun, abrite une grande variété de fleurs sauvages, d'oiseaux, de poissons et d'animaux. Protégeant une partie de l'aire de mise bas de la harde de caribous de la Porcupine, le parc fait partie du territoire traditionnel des Inuvialuits, qui dépendent du caribou pour leur survie depuis des milliers d'années. Ivvavik est un paradis naturel de vallées fluviales, de toundra, de littoral et de montagnes, dont la seule grande chaîne de montagnes non glaciaire au Canada. La rivière Firth, pièce maîtresse du parc, permet de vivre une expérience de descente en eaux vives de calibre international dans un cadre exceptionnel.

Parc national
Ivvavik

**TERRITOIRE:** Yukon

**CRÉATION:** 1984

**SUPERFICIE:** 9 750 km carrés

**RÉGIONS NATURELLES
REPRÉSENTÉES:** Nord du
Yukon; Delta du Mackenzie

### KEJIMKUJIK

*Kejimkujik National Park and National Historic Site,* a rugged yet gentle land of tranquil forests, flowing rivers, and shallow, rock-studded lakes, is home to several species at risk, including the eastern ribbon snake and Blanding's turtle. Protecting numerous petroglyphs left behind by the Mi'kmaq, who have inhabited this land for thousands of years, Kejimkujik offers unique opportunities to experience a cultural and natural landscape. Added in 1988, *Kejimkujik Seaside*—an isolated stretch of Atlantic coastline separate from yet belonging to the park—offers a peaceful escape for visitors who come to explore its glacier-carved headlands, expansive white-sand beaches, and secluded, rocky coves.

Kejimkujik National Park and National Historic Site

**PROVINCE:** Nova Scotia

**CREATED:** 1967

**SIZE:** 403.7 sq km

**NATURAL REGION REPRESENTED:** Atlantic Coast Uplands

### KLUANE

Home to Canada's highest peak and the world's largest, non-polar icefield, *Kluane National Park and Reserve* is a land of high mountains, surging glaciers, immense icefields, and lush valleys featuring one of northern Canada's most diverse communities of plant and wildlife species, including Dall sheep, grizzly, and black bears. Part of a vast international preserve that has been designated a UNESCO World Heritage Site, Kluane is the homeland of the Southern Tutchone people, a unique culture going back thousands of years. The park's hiking trails take visitors along traditional routes that continue to be used by First Nations to this day.

Kluane National Park and Reserve

**TERRITORY:** Yukon

**CREATED:** 1972

**SIZE:** 22,061 sq km

**NATURAL REGION REPRESENTED:** Northern Coast Mountains

### JASPER

Le plus grand des quatre parcs nationaux du site du patrimoine mondial de l'UNESCO des parcs des montagnes Rocheuses canadiennes, le *parc national Jasper* propose une diversité de paysages, dont des cascades et des prairies alpines tapissées de fleurs sauvages. Wapitis, mouflons et cerfs mulets y abondent, ainsi que leurs prédateurs comme le grizzly, le couguar, le loup et le carcajou. Sillonné par quelque 1 200 kilomètres de sentiers de randonnée, Jasper représente un des derniers grands écosystèmes protégés dans les Rocheuses. La Promenade des Glaciers, une des routes les plus pittoresques au monde, conduit au pied du glacier Athabasca, le glacier le plus accessible en Amérique du Nord.

Parc national Jasper

**PROVINCE:** Alberta

**CRÉATION:** 1907

**SUPERFICIE:** 10 878 km carrés

**RÉGION NATURELLE REPRÉSENTÉE:** Montagnes Rocheuses

### KEJIMKUJIK

Le *parc national et lieu historique national Kejimkujik* est un territoire accidenté et paisible de forêts tranquilles, de rivières vives et de lacs peu profonds semés de rochers. Abritant la couleuvre mince et la tortue mouchetée, deux espèces en péril, et les nombreux pétroglyphes laissés par les Mi'kmaq qui habitent cette région depuis des millénaires, Kejimkujik offre des possibilités exceptionnelles de découvrir un paysage culturel et naturel. Séparée mais néanmoins ajoutée au parc en 1988, *Kejimkujik Bord de mer*, ruban isolé de littoral atlantique, offre une douce évasion avec ses promontoires arrondis par les glaciers, ses longues plages de sable blanc et ses anses rocheuses isolées.

Parc national et lieu historique national Kejimkujik

**PROVINCE:** Nouvelle-Écosse

**CRÉATION:** 1967

**SUPERFICIE:** 403,7 km carrés

**RÉGION NATURELLE REPRÉSENTÉE:** Bas-plateau de la côte atlantique

## KOOTENAY

From glacier-clad peaks along the Continental Divide to cacti growing among the semi-arid grasslands of the Rocky Mountain Trench, *Kootenay National Park* is noted for its diverse landscapes, ecology, and climate. Natural features characteristic of the Rocky Mountains include sediment-ary rocks and thrust-faulted mountains, landscapes sculptured by glaciers and water, and plants and animals typical of alpine, subalpine, and montane ecological zones. Part of the traditional lands of the Ktunaxa (Kootenay) and Shuswap First Nations, Kootenay has a long history of welcoming travellers. Today, visitors can participate in activities year-round—from skiing and ice climbing to canoeing, horseback riding, and camping.

Kootenay
National Park

**PROVINCE:** British Columbia

**CREATED:** 1920

**SIZE:** 1,406.4 sq km

**NATURAL REGION REPRESENTED:**
Rocky Mountains

## KLUANE

Emplacement du plus haut sommet au Canada et du plus vaste champ de glace non polaire au monde, le *parc national et réserve de parc national Kluane* est un territoire de hautes montagnes, de glaciers en crue, d'immenses champs de glace et de vallées fertiles. Il y vit une des plus riches commu-nautés d'espèces végétales et animales au Canada, notamment le mouflon de Dall, le grizzly et l'ours noir. Partie d'une vaste réserve internationale désignée site du patri-moine mondial de l'UNESCO, Kluane est la terre ancestrale des Tutchones du Sud, une culture vieille de plusieurs milliers d'années. Les sentiers du parc suivent des routes tradi-tionnelles encore empruntées de nos jours par les Premières nations.

Parc national et réserve de parc national Kluane

**TERRITOIRE :** Yukon

**CRÉATION :** 1972

**SUPERFICIE :** 22 061 km carrés

**RÉGION NATURELLE REPRÉSENTÉE :**
Chaîne côtière du Nord

## KOUCHIBOUGUAC

Encompassing a low-lying coastal area with barrier dune islands stretching twenty-five kilometres, *Kouchibouguac National Park* is a fascinating mosaic of salt marshes, tidal rivers, freshwater systems, sheltered lagoons, abandoned fields, tall forests, and cedar swamps—specialized forest wetlands with outstanding undergrowth of mosses, ferns and orchids. The only national park in Canada to protect significant stands of Eastern white cedar, Kouchibouguac, de-rived from a Mi'kmaw word meaning "river of long tides," also protects the endangered piping plover and the second largest tern colony in North America. Visitor activities range from cycling, hiking, and kayaking to snowshoeing, cross-country skiing, and tobogganing.

Kouchibouguac
National Park

**PROVINCE:** New Brunswick

**CREATED:** 1969

**SIZE:** 239.2 sq km

**NATURAL REGION REPRESENTED:**
Maritime Plain

## KOOTENAY

Depuis les sommets recouverts de glaciers le long de la ligne continentale de partage des eaux jusqu'aux prairies semi-arides du sillon des Rocheuses, le *parc national Kootenay* est reconnu pour la diversité de ses paysages, son écologie et son climat. Les éléments naturels caractéristiques des Rocheuses comprennent les roches sédimentaires et les montagnes formées par des failles de chevauchement, les paysages sculptés par les glaciers et l'eau, et les plantes et les animaux typiques des zones écologiques alpine, subalpine et montagnarde. Ce territoire traditionnel des Premières nations Ktunaxa (Kootenay) et Shuswap accueille les visiteurs depuis toujours. Selon les saisons, on peut s'y livrer au ski et à l'escalade des glaces ou au canotage, à l'équitation et au camping.

Parc national
Kootenay

**PROVINCE :**
Colombie-Britannique

**CRÉATION :** 1920

**SUPERFICIE :** 1 406,4 km carrés

**RÉGION NATURELLE REPRÉSENTÉE :**
Montagnes Rocheuses

## LA MAURICIE

*La Mauricie National Park* is a land of rich, mixed-wood forests and over one hundred and fifty lakes set into the gently rolling Laurentian Hills. Vast areas of exposed bedrock are witness to the effects of the last ice age, which also left behind an extensive system of lakes, streams, waterfalls, and rivers. Among La Mauricie's abundant wildlife are several species at risk, including the wood turtle, peregrine falcon, and red-headed woodpecker. Visitors to the park have a chance to paddle across lakes and portage over the same trails once used by La Mauricie's Aboriginal inhabitants and the coureurs des bois.

La Mauricie
National Park

**PROVINCE:** Quebec

**CREATED:** 1970

**SIZE:** 536.1 sq km

**NATURAL REGION REPRESENTED:**
Central Great Lakes—
St. Lawrence Precambrian
Region

## KOUCHIBOUGUAC

Zone côtière basse dont les îles-barrières s'étirent sur 25 kilomètres, le *parc national Kouchibouguac* est une mosaïque fascinante de marais salés, de rivières à marées, de cours d'eau douce, de lagunes abritées, de champs en friche, de vieilles forêts et de cédrières marécageuses – boisés humides particulièrement propices à la croissance des mousses, des fougères et des orchidées. Seul parc national du Canada à protéger de grands peuplements de thuyas occidentaux, Kouchibouguac (« rivière de longues marées » en mi'kmaq) héberge également le pluvier siffleur en voie de disparition et la deuxième colonie en importance de sternes en Amérique du Nord. On y pratique, entre autres, le vélo, la randonnée, le kayak, la raquette, le ski de fond et le toboggan.

Parc national
Kouchibouguac

**PROVINCE :**
Nouveau-Brunswick

**CRÉATION :** 1969

**SUPERFICIE :** 239,2 km carrés

**RÉGION NATURELLE REPRÉSENTÉE :**
Plaine maritime

## MINGAN ARCHIPELAGO

Oddly shaped rock pillars sculpted by wind and sea create the unique island-scape of *Mingan Archipelago National Park Reserve*, a necklace of land carved out of the limestone bedrock. Mingan Archipelago's striking monoliths present an exceptional opportunity for visitors to explore the largest concentration of such natural works of art in Canada. Situated along the north shore of the Gulf of St. Lawrence, the national park reserve encompasses more than a thousand granitic islets and reefs and some thirty limestone islands, where puffins and other seabirds nest and porpoises, seals, and whales feed in the fertile waters offshore.

Mingan Archipelago
National Park Reserve

**PROVINCE:** Quebec

**CREATED:** 1984

**SIZE:** 150.7 sq km

**NATURAL REGION REPRESENTED:**
East St. Lawrence Lowland

## LA MAURICIE

Le *parc national de la Mauricie* est un territoire de riches forêts mixtes dans les collines arrondies des Laurentides. De vastes étendues de substrat rocheux exposé conservent les marques de la dernière glaciation, qui a aussi laissé derrière elle un réseau complexe de plus de 150 lacs et d'innombrables ruisseaux, chutes et rivières. La faune abondante du parc compte plusieurs espèces en péril comme la tortue des bois, le faucon pèlerin et le pic à tête rouge. Dans le parc national de la Mauricie, on peut pagayer sur des lacs et faire des portages sur les mêmes parcours qu'empruntaient jadis les premiers occupants autochtones et les coureurs des bois.

Parc national de
la Mauricie

**PROVINCE :** Québec

**CRÉATION :** 1970

**SUPERFICIE :** 536,1 km carrés

**RÉGION NATURELLE REPRÉSENTÉE :**
Région précambrienne du
Saint-Laurent et des Grands
Lacs du Centre

## MOUNT REVELSTOKE

Noted for spectacular mountains with summer wildflower displays on their summits, *Mount Revelstoke National Park* is home to a rainforest of hemlock and thousand-year-old cedars—a forest type rapidly declining outside of protected areas. The Columbia Mountains and lush valley floors of Mount Revelstoke provide important habitat for grizzly and black bears, mountain goat, and wolverine as well as a small herd of the threatened mountain caribou. The park offers a wealth of visitor activities including camping, hiking, and mountaineering in the summer, while the area's deep snow accumulations and relatively moderate winter temperatures make ski touring a popular winter pursuit.

Mount Revelstoke
National Park

**PROVINCE:** British Columbia

**CREATED:** 1914

**SIZE:** 262.5 sq km

**NATURAL REGION REPRESENTED:**
Columbia Mountains

## LACS-WATERTON

Au spectaculaire *parc national des Lacs-Waterton,* des montagnes déchiquetées et venteuses s'élèvent brusquement au milieu de pâturages calmes. C'est le domaine du grizzly et de l'ours noir, du couguar, du loup, du wapiti, du mouflon, du cerf mulet et de plus de la moitié des espèces végétales de l'Alberta. Avec le parc national Glacier du Montana, le parc national des Lacs-Waterton a été désigné premier parc international de la paix, puis site du patrimoine mondial de l'UNESCO. Entourant la localité de Waterton, le parc propose plus de 200 kilomètres de sentiers et d'excellents parcours de canot, de kayak, de ski et de raquette.

Parc national des
Lacs-Waterton

**PROVINCE:** Alberta

**CRÉATION:** 1895

**SUPERFICIE:** 505 km carrés

**RÉGION NATURELLE REPRÉSENTÉE:**
Montagnes Rocheuses

## NAHANNI

One of the world's first UNESCO World Heritage Sites, *Nahanni National Park Reserve* was recently expanded to thirty thousand square kilometres in size. Characterizing the incredible nature of the Northwest Territories landscape, Nahanni features spectacular mountains, stunning karstlands, and some of the deepest river canyons in the world. It was used for hunting and fishing by the Dene people for thousands of years and continues to be revered as a place of mystery, spirituality, and healing. The South Nahanni River, a Canadian Heritage River, rushes through Nahanni giving it a reputation as Canada's premier destination for multi-day, wilderness river trips.

Nahanni
National Park Reserve

**TERRITORY:**
Northwest Territories

**CREATED:** 1972

**SIZE:** 30,000 sq km

**NATURAL REGION REPRESENTED:**
Mackenzie Mountains

## MONT-REVELSTOKE

Célèbre pour ses sommets spectaculaires égayés de fleurs sauvages en été, le *parc national du Mont-Revelstoke* protège une forêt ombrophile de pruches et de thuyas millénaires, type forestier en rapide disparition hors des aires protégées. Les monts Columbia et les vertes vallées du mont Revelstoke sont des habitats importants pour le grizzly et l'ours noir, la chèvre de montagne et le carcajou, et pour une petite harde de caribous de montagne, une espèce menacée. Outre ses activités estivales (camping, randonnée et escalade), Revelstoke est le paradis des skieurs de fond en hiver, grâce à son enneigement exceptionnel et à ses températures modérées.

Parc national du
Mont-Revelstoke

**PROVINCE:**
Colombie-Britannique

**CRÉATION:** 1914

**SUPERFICIE:** 262,5 km carrés

**RÉGION NATURELLE REPRÉSENTÉE:**
Chaîne Columbia

## PACIFIC RIM

Backed by the Vancouver Island Range and facing the open Pacific Ocean, *Pacific Rim National Park Reserve* features cobbled beaches, windswept dunes and a lush coastal temperate rainforest that drips with water and teems with plant life. Home to a diverse array of wildlife, the national park reserve offers tremendous opportunities for birdwatching as well as whale, seal, and sea lion watching. Pacific Rim's many visitor experiences include following the ancient paths and paddling routes used for trade and travel by the Nuu-chah-nulth First Nations, and the challenging West Coast Trail, renowned as one of the world's best hiking trails.

Pacific Rim
National Park Reserve

**PROVINCE:** British Columbia

**CREATED:** 1970

**SIZE:** 510 sq km

**NATURAL REGION REPRESENTED:**
Pacific Coast Mountains

## MONT-RIDING

Dominant majestueusement les Prairies, l'escarpement du Manitoba et les collines ondulées du *parc national du Mont-Riding* sont des vestiges de la dernière glaciation. Désigné réserve de la biosphère de l'UNESCO, le parc comprend de vastes étendues de forêts, de prairies, de marais et de terres humides où vivent une flore et une faune abondantes, notamment le loup, l'orignal, l'ours noir et des centaines d'espèces d'oiseaux. Territoire de chasse et de pêche des Premières nations durant des millénaires, le parc national du Mont-Riding invite à découvrir la localité de villégiature de Wasagaming, les eaux cristallines du lac Clear et plus de 400 kilomètres de sentiers.

Parc national du
Mont-Riding

**PROVINCE:** Manitoba

**CRÉATION:** 1930

**SUPERFICIE:** 2 967,7 km carrés

**RÉGION NATURELLE REPRÉSENTÉE:**
Plaines et plateaux
boréaux du Sud

## POINT PELEE

A wetland of international significance, *Point Pelee National Park* is a unique blend of marsh, forest, savannah, and beach, which combined with its southern extension into Lake Erie, attracts thousands of birds and monarch butterflies on their biannual migrations. One of Canada's finest bird-watching sites, Point Pelee, a sandspit at the southernmost tip of mainland Canada, offers visitors an array of options for wildlife viewing including walking the boardwalk trail across the marshlands, canoeing among the cattails, and hiking or biking "to the Tip." Middle Island, part of the Western Basin Lake Erie Archipelago, was added to the park in 2000.

Point Pelee
National Park

**PROVINCE:** Ontario

**CREATED:** 1918

**SIZE:** 15.2 sq km

**NATURAL REGION REPRESENTED:**
West St. Lawrence Lowland

## MONTS-TORNGAT

Le *parc national des Monts-Torngat* met en valeur un des territoires les plus saisissants d'Amérique du Nord. S'étendant du fjord Saglek dans le sud jusqu'à l'extrémité nord du Labrador, le parc contient les plus hauts pics du Canada à l'est des Rocheuses. Il correspond aussi à une large part du territoire de la harde de caribous des monts Torngat. Que ce soit pour la randonnée dans ce relief spectaculaire ou pour l'exploration en bateau des fjords et de la côte, on trouve au parc des possibilités uniques de découvrir en compagnie d'un guide inuit la splendeur des monts Torngat, royaume du puissant esprit Torngak.

Parc national des
Monts-Torngat

**PROVINCE:**
Terre-Neuve-et-Labrador

**CRÉATION:** 2005

**SUPERFICIE:** 9 700 km carrés

**RÉGION NATURELLE REPRÉSENTÉE:**
Montagnes du Labrador
du Nord

## PRINCE ALBERT

Lying between two distinct vegetation zones, *Prince Albert National Park* protects both northern coniferous forest and rare fescue grasslands. The park features a rich diversity of wildlife including timber wolf, woodland caribou, free-ranging plains bison, black bear, and over two hundred species of birds, including the only fully protected white pelican nesting colony in Canada. Historically used by local First Nations and Métis, Prince Albert continues to welcome visitors to explore its many trails, lakes, and beaches along with unique features like the resort village of Waskesiu, a Stanley Thompson-designed golf course, and the isolated, lakeside cabin of conservationist Archie "Grey Owl" Belaney.

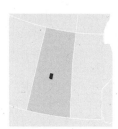

Prince Albert
National Park
.................................................
**PROVINCE:** Saskatchewan
.................................................
**CREATED:** 1927
.................................................
**SIZE:** 3,874.6 sq km
.................................................
**NATURAL REGION REPRESENTED:**
Southern Boreal Plains
and Plateaux

## NAHANNI

L'un des premiers sites du patrimoine mondial de l'UNESCO, la *réserve de parc national Nahanni,* récemment agrandie, s'étend sur une superficie de 30 000 kilomètres carrés. Typique des paysages incroyables des Territoires du Nord-Ouest, Nahanni compte des montagnes spectaculaires, des formations karstiques fascinantes et certains des canyons les plus profonds de la planète. Pendant des millénaires, les Dénés ont chassé et pêché dans cette région, encore vénérée de nos jours comme lieu de mystère, de spiritualité et de ressourcement. La rivière Nahanni Sud, une rivière du patrimoine canadien, dévale à travers la réserve de parc national, attirant de partout les mordus du canotage en milieu sauvage.

Réserve de parc national
Nahanni
.................................................
**TERRITOIRE :**
Territoires du Nord-Ouest
.................................................
**CRÉATION :** 1972
.................................................
**SUPERFICIE :** 30 000 km carrés
.................................................
**RÉGION NATURELLE REPRÉSENTÉE :**
Monts Mackenzie

## PRINCE EDWARD ISLAND

Home to dunes, red sandstone cliffs, and endless beaches, *Prince Edward Island National Park* is a dynamic system of shifting sand carried by wind and waves. The park's diverse habitats—barrier islands, sandspits, freshwater wetlands, and salt marshes—support a variety of plants and animals, including the threatened Gulf of St. Lawrence aster and the endangered piping plover. Visitors to the portion of the park at the tip of the Greenwich peninsula have a chance to appreciate its rare parabolic dunes and evidence of continuous human habitation going back ten thousand years to the early Aboriginal peoples who inhabited the Island.

Prince Edward Island
National Park
.................................................
**PROVINCE:**
Prince Edward Island
.................................................
**CREATED:** 1937
.................................................
**SIZE:** 27 sq km
.................................................
**NATURAL REGION REPRESENTED:**
Maritime Plain

## PACIFIC RIM

Adossée au chaînon de l'île Vancouver et mouillée par les vagues du Pacifique, la *réserve de parc national Pacific Rim* offre grèves de galets, dunes ondulées et forêt pluviale dégoulinante et grouillante de plantes. Habitat d'un large éventail de créatures sauvages, la réserve de parc national est l'endroit rêvé où observer oiseaux, baleines, phoques et otaries. À Pacific Rim, maintes expériences attendent les visiteurs, notamment la découverte des sentiers et parcours de canotage utilisés pour la traite et les migrations par les Premières nations Nuu-chah-nulth, ainsi que du difficile sentier de la Côte-Ouest, un des meilleurs sentiers de randonnée au monde.

Réserve de parc national
Pacific Rim
.................................................
**PROVINCE :**
Colombie-Britannique
.................................................
**CRÉATION :** 1970
.................................................
**SUPERFICIE :** 510 km carrés
.................................................
**RÉGION NATURELLE REPRÉSENTÉE :**
Chaîne côtière du Pacifique

## PUKASKWA

*Pukaskwa National Park* is a rugged wilderness of rock-rimmed lakes, tumbling rivers, and dense forests, bounded by the rocky headlands and sheltered cobble and sand beaches of Lake Superior. A small herd of woodland caribou—a rare species in Canada—shares the park hinterland with moose, wolf, black bear, and a host of smaller creatures. Pukaskwa welcomes visitors to experience day hiking along the shores of Lake Superior, discover the remarkable plants and animals that inhabit the rugged landscape of the Canadian Shield, and learn about the Anishinaabe people and their enduring connection to this special place.

Pukaskwa
National Park

**PROVINCE:** Ontario

**CREATED:** 1971

**SIZE:** 1,877.8 sq km

**NATURAL REGION REPRESENTED:**
Central Boreal Uplands

## PÉNINSULE-BRUCE

Le *parc national de la Péninsule-Bruce* protège l'un des plus vastes milieux sauvages encore intacts du sud de l'Ontario, une région spectaculaire mais fragile qui recèle des orchidées rares, des falaises de calcaire, des forêts anciennes et des réseaux complexes de drainage souterrain. Le célèbre sentier Bruce, le plus ancien et le plus long sentier pédestre au Canada, traverse la péninsule Bruce en longeant l'escarpement du Niagara, proposant à l'année longue diverses activités de découverte du parc comme la randonnée, le ski de fond et la raquette. Ensemble, le parc national de la Péninsule-Bruce et le parc marin national Fathom Five forment l'aire centrale de la réserve de la biosphère de l'escarpement du Niagara.

Parc national de la
Péninsule-Bruce

**PROVINCE:** Ontario

**CRÉATION:** 1987

**SUPERFICIE:** 154 km carrés

**RÉGION NATURELLE REPRÉSENTÉE:**
Basses-terres du
Saint-Laurent de l'Ouest

## QUTTINIRPAAQ

*Quttinirpaaq National Park*, on the tip of Ellesmere Island, protects some of the most remote, fragile, rugged, and northerly lands in North America. Meaning "top of the world" in Inuktitut, Quttinirpaaq encompasses mountains, fiords, hundreds of glaciers, and the most northerly lake in Canada. It is home to a variety of wildlife species including polar bear, Peary caribou, Arctic wolf, seal, walrus, and narwhal. The park's rich legacy of cultural resources tells a story of human occupation dating back thousands of years, and today its many spectacular routes for hiking and backcountry camping afford visitors a variety of wilderness experience opportunities.

Quttinirpaaq
National Park

**TERRITORY:** Nunavut

**CREATED:** 1986

**SIZE:** 37,775 sq km

**NATURAL REGION REPRESENTED:**
Eastern High Arctic

## POINTE-PELÉE

Zone humide d'importance internationale, le *parc national de la Pointe-Pelée* est un mélange unique de marais, de forêt, de savane et de plage. Cette flèche de sable dans le lac Érié, à l'extrémité le plus au sud de la partie continentale du Canada, attire des milliers d'oiseaux et de papillons monarques dans leurs migrations semestrielles. Paradis pour l'observation des oiseaux au Canada, le parc propose différentes manières de découvrir la vie sauvage : visite dans les marais sur un trottoir de bois, pagayage dans les quenouilles et randonnée « jusqu'à la pointe ». L'île Middle, élément de l'archipel du bassin Ouest du lac Érié, a été intégrée au parc en 2000.

Parc national de la
Pointe-Pelée

**PROVINCE:** Ontario

**CRÉATION:** 1918

**SUPERFICIE:** 15,2 km carrés

**RÉGION NATURELLE REPRÉSENTÉE:**
Basses-terres du
Saint-Laurent de l'Ouest

### RIDING MOUNTAIN

Rising dramatically from the prairie landscape, the Manitoba Escarpment and rolling hills of *Riding Mountain National Park* are a legacy of the last ice age. Designated a UNESCO Biosphere Reserve, the park includes diverse expanses of forest, grasslands, marsh, and wetlands that support a variety of plants and animals, including wolves, moose, black bear, and hundreds of species of birds. Used for hunting and fishing by First Nations for thousands of years, Riding Mountain continues to welcome visitors to discover the resort community of Wasagaming, the crystal waters of Clear Lake, and more than four hundred kilometres of trails.

Riding Mountain
National Park

**PROVINCE:** Manitoba

**CREATED:** 1930

**SIZE:** 2,967.7 sq km

**NATURAL REGION REPRESENTED:**
Southern Boreal Plains and Plateaus

### PRAIRIES

Des couchers de soleil spectaculaires, des bad-lands, d'anciens cercles de tipis, de larges vallées fluviales, des plantes et des animaux rares sont au nombre des attraits à découvrir au *parc national des Prairies,* un des habitats de prairie mixte les plus vastes et les moins perturbées en Amérique du Nord. Parmi les créatures protégées au parc figurent la chevêche des terriers et les dernières colonies de chiens de prairie au Canada. Le parc s'enorgueillit d'avoir réussi à rétablir diverses espèces en péril comme le renard véloce, le bison des plaines et le putois d'Amérique, jadis considéré comme le mammifère le plus rare d'Amérique du Nord.

Parc national des
Prairies

**PROVINCE :** Saskatchewan

**CRÉATION :** 1981

**SUPERFICIE :** 571 km carrés

**RÉGION NATURELLE REPRÉSENTÉE :**
Prairies

### SIRMILIK

The summer home to one of the most diverse avian communities in the High Arctic, *Sirmilik National Park* also features a remarkable concentration of marine mammals such as polar bear, walrus, and narwhal. On the northern tip of Baffin Island, Sirmilik, meaning "the place of glaciers," encompasses an extensive plateau dissected by broad river valleys, spectacular fiords, rugged mountains, coastal lowlands, hoodoos, icefields, and glaciers. With a legacy of cultural resources that tells the story of human occupation dating back thousands of years, Sirmilik offers a diverse range of wilderness experiences including sea kayaking, hiking, ski touring, and birdwatching.

Sirmilik
National Park

**TERRITORY:** Nunavut

**CREATED:** 1999

**SIZE:** 22,200 sq km

**NATURAL REGIONS REPRESENTED:**
Eastern Arctic Lowlands;
Northern Davis Region

### PRINCE ALBERT

Chevauchant deux zones distinctes de végétation, le *parc national de Prince Albert* protège une forêt de conifères septentrionale et de rares prairies de fétuques. Il abrite une faune très variée qui comprend loup commun, caribou des bois, bison des plaines, ours noir et plus de 200 espèces d'oiseaux, dont la seule colonie de pélicans d'Amérique protégée au Canada. Fréquenté depuis longtemps par les Premières nations et les Métis, Prince Albert continue d'accueillir les visiteurs sur ses nombreux sentiers, lacs et plages dotés d'attraits comme la station de villégiature de Waskesiu, un terrain de golf conçu par Stanley Thompson et la cabane isolée au bord du lac du conservationniste Archie « Grey Owl » Belaney.

Parc national de
Prince Albert

**PROVINCE :** Saskatchewan

**CRÉATION :** 1927

**SUPERFICIE :** 3 874,6 km carrés

**RÉGION NATURELLE REPRÉSENTÉE :**
Plaines et plateaux
boréaux du Sud

## ST. LAWRENCE ISLANDS

Located in the heart of the Thousand Islands, *St. Lawrence Islands National Park* is composed of mainland properties and more than twenty islands scattered along an eighty-kilometre stretch of the St. Lawrence River. Presenting a remarkable diversity of flora and fauna, the islands are the glacier-scraped granite hilltops of an ancient mountain chain joining the Canadian Shield with the Adirondack Mountains. A tiny jewel with a rich and complex natural and human history, St. Lawrence Islands offers a host of possibilities for visitors to experience the park, from exploring rocky cliffs, sandy beaches, and diverse forests to birdwatching, boating, and scuba diving.

St. Lawrence Islands
National Park

**PROVINCE:** Ontario

**CREATED:** 1904

**SIZE:** 23.5 sq km

**NATURAL REGION REPRESENTED:**
Central Great Lakes—
St. Lawrence
Precambrian Region

## PUKASKWA

Le *parc national Pukaskwa* est une aire sauvage de lacs bordés de rochers, de rivières aux eaux vives et de forêts denses limitée par les promontoires rocheux et les plages abritées de galets et de sable du lac Supérieur. Une petite harde de caribous des bois, espèce rare au Canada, partage l'arrière-pays du parc avec l'orignal, le loup, l'ours noir et nombre de créatures plus petites. Dans cette zone unique du Bouclier canadien, on peut explorer les rives du lac Supérieur, découvrir une flore et une flore remarquables, et en apprendre sur le peuple Anishinaabe et ses liens de longue date avec ce lieu singulier.

Parc national
Pukaskwa

**PROVINCE:** Ontario

**CRÉATION:** 1971

**SUPERFICIE:** 1 877,8 km carrés

**RÉGION NATURELLE REPRÉSENTÉE:**
Bas-plateaux boréaux
du Centre

## TERRA NOVA

*Terra Nova National Park* is a place where long fingers of the North Atlantic touch the island boreal forest of Eastern Newfoundland. Its landscape varies from the rugged cliffs and sheltered inlets of the coastal region to the rolling forested hills, bogs, and ponds of the inland. Canada's most easterly national park, Terra Nova is home to some two hundred bird species and twelve of the province's fourteen native terrestrial mammal species, including the threatened Newfoundland marten. Terra Nova is a park that appeals to many interests, including wildlife viewing, birding, hiking, camping, kayaking, golfing, skiing, and snowshoeing.

Terra Nova
National Park

**PROVINCE:**
Newfoundland and Labrador

**CREATED:** 1957

**SIZE:** 399.9 sq km

**NATURAL REGION REPRESENTED:**
Eastern Newfoundland
Atlantic Region

## QUTTINIRPAAQ

Situé à l'extrémité de l'île d'Ellesmere, le *parc national Quttinirpaaq* protège les terres parmi les plus éloignées, fragiles, sauvages et septentrionales d'Amérique du Nord. Baptisé « toit du monde » en inuktitut, le parc contient des montagnes, des fjords, des centaines de glaciers et le lac le plus au nord du Canada. Il abrite une faune des plus variées, notamment l'ours polaire, le caribou de Peary, le loup arctique, le phoque, le morse et le narval. Les riches ressources culturelles du parc témoignent d'une occupation humaine datant de milliers d'années. De nos jours, de nombreux parcours spectaculaires qui se prêtent bien à la randonnée pédestre et au camping dans l'arrière-pays permettent aux visiteurs d'y vivre toutes sortes d'expériences de la nature.

Parc national
Quttinirpaaq

**TERRITOIRE:** Nunavut

**CRÉATION:** 1986

**SUPERFICIE:** 37 775 km carrés

**RÉGION NATURELLE REPRÉSENTÉE:**
Extrême-Arctique Est

## TORNGAT MOUNTAINS

*Torngat Mountains National Park* features one of the most dramatic landscapes in eastern North America. Extending from Saglek Fiord in the south to the very northern tip of Labrador, the park contains mountain peaks that are the highest in mainland Canada east of the Rockies. It also takes in much of the range of the Torngat Mountains caribou herd. Whether visitors choose to hike this spectacular landscape or explore the fiords and coast by ship, the park offers unique opportunities to experience the splendour of the Torngat Mountains—home to the powerful spirit Torngak—in the company of an Inuit guide.

Torngat Mountains
National Park

**PROVINCE:**
Newfoundland and Labrador

**CREATED:** 2005

**SIZE:** 9,700 sq km

**NATURAL REGION REPRESENTED:**
Northern Labrador
Mountains

## SIRMILIK

Site estival d'une des communautés aviaires les plus diverses de l'Extrême-Arctique, le *parc national Sirmilik* abrite aussi une concentration remarquable de mammifères marins comme l'ours polaire, le morse et le narval. À l'extrémité nord de l'île de Baffin, Sirmilik, ou « lieu des glaciers », inclut un vaste plateau entaillé de larges vallées fluviales, des fjords spectaculaires, des pics escarpés, des basses terres côtières, des cheminées de fées, des champs de glace et des glaciers. Outre ses ressources culturelles relatant des millénaires d'occupation humaine, Sirmilik propose diverses expériences de la nature, notamment le kayak de mer, la randonnée, le ski de fond et l'observation des oiseaux.

Parc national
Sirmilik

**TERRITOIRE :** Nunavut

**CRÉATION :** 1999

**SUPERFICIE :** 22 200 km carrés

**RÉGIONS NATURELLES
REPRÉSENTÉES :** Basses-terres
de l'Arctique Est; Région de
Davis du Nord

## TUKTUT NOGAIT

With rolling tundra, wild rivers, precipitous canyons, and unique wildlife and vegetation, *Tuktut Nogait National Park* is an undiscovered gem. Meaning "young caribou," Tuktut Nogait is home to the Bluenose-West caribou herd, along with wolves, grizzly bears, muskoxen, Arctic char, and a high density of raptors. Evidenced by its more than three hundred and sixty archaeological sites, the park and its wildlife have supported Aboriginal peoples for thousands of years—from the Copper and Thule cultures to contemporary Inuvialuit. The park offers visitors unprecedented opportunities to experience the Arctic, from hiking and wildlife viewing to paddling trips ranging from novice to expert.

Tuktut Nogait
National Park

**TERRITORY:**
Northwest Territories

**CREATED:** 1996

**SIZE:** 18,181 sq km

**NATURAL REGION REPRESENTED:**
Tundra Hills

## TERRA-NOVA

Au *parc national Terra-Nova*, les longs doigts de l'Atlantique Nord viennent effleurer la forêt boréale insulaire qui tapisse l'est de Terre-Neuve. Le paysage se compose de hautes falaises et de bras de mer protégés sur la côte, et de collines ondoyantes couvertes de forêts, de tourbières et d'étangs à l'intérieur des terres. Le parc national le plus à l'est du Canada, Terra-Nova abrite quelque 200 espèces d'oiseaux et douze des quatorze espèces de mammifères terrestres indigènes de la province, dont la martre de Terre-Neuve, espèce menacée de disparition. Le parc propose toutes sortes d'activités, notamment l'observation de la faune et des oiseaux, la randonnée, le camping, le kayak, le golf, le ski et la raquette.

Parc national
Terra-Nova

**PROVINCE :**
Terre-Neuve-et-Labrador

**CRÉATION :** 1957

**SUPERFICIE :** 399,9 km carrés

**RÉGION NATURELLE REPRÉSENTÉE :**
Région atlantique de l'est de
Terre-Neuve

### UKKUSIKSALIK

Named for the soapstone found within its boundaries, *Ukkusiksalik National Park* surrounds Wager Bay, a veritable inland sea extending more than one hundred and fifty kilometres from the northwest coast of Hudson Bay. Glacier-polished islands and shorelines, colourful cliffs, and tidal flats backed by rolling tundra give Ukkusiksalik its special appeal. For thousands of years, the Inuit have traveled in this area to hunt and fish. Visitors to the park may observe polar bears congregating here in summer— along with caribou, muskoxen, wolves, barren-ground grizzlies, and Arctic hare—as well as golden eagles and peregrine falcons.

Ukkusiksalik
National Park

**TERRITORY:** Nunavut

**CREATED:** 2003

**SIZE:** 20,558 sq km

**NATURAL REGION REPRESENTED:**
Central Tundra

### TUKTUT NOGAIT

Toundras ondulantes, rivières sauvages, canyons escarpés et flore et faune uniques font du *parc national Tuktut Nogait* un joyau à découvrir. Tuktut Nogait, qui signifie « jeune caribou », abrite la harde de caribous Bluenose-West, des loups, des grizzlys, des bœufs musqués, de l'omble arctique et une forte densité de rapaces. Ses nombreux sites archéologiques (plus de 360 à date) indi-quent que depuis des milliers d'années, la faune et le territoire font vivre les peuples autochtones, des cultures du cuivre et Thulé aux Inuvialuits contemporains. Le parc pro-pose des façons exceptionnelles de découvrir l'Arctique, depuis la randonnée et l'obser-vation de la nature jusqu'aux expéditions en canot pour novices ou experts.

Parc national
Tuktut Nogait

**TERRITOIRE :**
Territoires du Nord-Ouest

**CRÉATION :** 1996

**SUPERFICIE :** 18 181 km carrés

**RÉGION NATURELLE REPRÉSENTÉE :**
Collines de la toundra

### VUNTUT

An ancient landscape of wide green val-leys, winding rivers, and gently sloping mountains spreading to the horizon, *Vuntut National Park* is home to rare plants and portions of the Old Crow Flats, a wetland of international significance. The park features important waterfowl habitat, critical parts of the Porcupine caribou range, and one of the largest and most concentrated popula-tions of grizzly bears left in the world. As they have for thousands of years, the Vuntut Gwitchin continue to travel and practise their traditional ways of life in Vuntut, and welcome visitors to the park whose name means "among the lakes."

Vuntut
National Park

**TERRITORY:** Yukon

**CREATED:** 1993

**SIZE:** 4,345 sq km

**NATURAL REGION REPRESENTED:**
Northern Yukon

### UKKUSIKSALIK

Baptisé du nom de la pierre à savon ex-traite sur son territoire, le *parc national Ukkusiksalik* entoure la baie Wager, vérita-ble mer intérieure s'enfonçant sur plus de 150 kilomètres dans la côte nord-ouest de la baie d'Hudson. Le parc doit son caractère distinctif à ses îles et ses côtes arrondies par les glaciers, ses falaises colorées et ses bas fonds intertidaux adossés à la toundra ondulée. Depuis des millénaires, les Inuits sillonnent ce territoire pour y pratiquer la chasse et la pêche. On peut y observer des ours polaires durant l'été, des caribous, des bœufs musqués, des loups, des grizzlys de la toundra et des lièvres arctiques, ainsi que des aigles dorés et des faucons pèlerins.

Parc national
Ukkusiksalik

**TERRITOIRE :** Nunavut

**CRÉATION :** 2003

**SUPERFICIE :** 20 558 km carrés

**RÉGION NATURELLE REPRÉSENTÉE :**
Toundra centrale

## WAPUSK

Wapusk, meaning "white bear" in Cree, earns its name protecting one of the largest polar bear denning areas in the world. A vast sub-arctic wilderness on the west coast of Hudson Bay, *Wapusk National Park* features bountiful wildlife, with large numbers of waterfowl and shorebirds in wetland and coastal areas, and forty-four species of mammals including the Cape Churchill caribou herd. The earliest evidence of human occupation in Wapusk dates back approximately three thousand years, and the park continues to welcome visitors to one of the most accessible places in the world to see polar bears in their natural habitat.

Wapusk
National Park

**PROVINCE:** Manitoba

**CREATED:** 1996

**SIZE:** 11,475 sq km

**NATURAL REGION REPRESENTED:**
Hudson-James Lowlands

## VUNTUT

Vieux relief de vallées verdoyantes, de rivières sinueuses et de montagnes doucement ondulées, le *parc national Vuntut* abrite des plantes rares et des secteurs de la plaine Old Crow, une zone humide d'importance internationale. Vuntut, ou « au milieu des lacs », contient d'importants habitats pour la sauvagine et la harde de caribous de la Porcupine, et abrite une des plus grandes concentrations de grizzlys au monde. Comme ils le font depuis des millénaires, les Gwitchin Vuntut continuent d'y pratiquer leur mode de vie nomade traditionnel, en plus d'accueillir les visiteurs.

Parc national
Vuntut

**TERRITOIRE :** Yukon

**CRÉATION :** 1993

**SUPERFICIE :** 4 345 km carrés

**RÉGION NATURELLE REPRÉSENTÉE :**
Nord du Yukon

## WATERTON LAKES

Rugged, windswept mountains rise abruptly out of gentle prairie grassland in spectacular *Waterton Lakes National Park*, home to grizzly and black bears, cougars, wolves, elk, bighorn sheep, and mule deer, and more than half of Alberta's plant species. Together with Glacier National Park in Montana, Waterton Lakes was established as the world's first international peace park and later recognized as a UNESCO World Heritage Site. With the community of Waterton at its heart, the park offers visitors over two hundred kilometres of hiking trails, tremendous canoeing and kayaking opportunities in the summer, and cross-country skiing and snowshoeing in the winter.

Waterton Lakes
National Park

**PROVINCE:** Alberta

**CREATED:** 1895

**SIZE:** 505 sq km

**NATURAL REGION REPRESENTED:**
Rocky Mountains

## WAPUSK

Nommé d'après le mot cri pour « ours blanc », le *parc national Wapusk* protège une des plus importantes aires de mise bas des ours polaires au monde. Vaste étendue sauvage subarctique de l'ouest de la baie d'Hudson, ce territoire compte une faune abondante, notamment du gibier d'eau et des oiseaux de rivage à profusion dans les terres humides et sur le littoral, ainsi que 44 espèces de mammifères, dont les caribous de la harde du cap Churchill. Avec ses vestiges d'occupation humaine remontant à environ 3 000 ans, Wapusk constitue l'un des endroits les plus accessibles au monde où admirer des ours polaires dans leur habitat naturel.

Parc national
Wapusk

**PROVINCE :** Manitoba

**CRÉATION :** 1996

**SUPERFICIE :** 11 475 km carrés

**RÉGION NATURELLE REPRÉSENTÉE :**
Basses-terres d'Hudson
et de James

## WOOD BUFFALO

A park of superlatives, Wood Buffalo is North America's largest national park and home to the world's largest bison herd, the only known nesting site of the endangered whooping crane, and the Peace-Athabasca Delta—the world's largest inland fresh-water delta. *Wood Buffalo National Park,* a UNESCO World Heritage Site, features many unique natural and cultural resources, from diverse ecosystems and rare species to the traditional activities of the First Nations who have inhabited the region for over eight thousand years. Visitors have many options, from short strolls on secluded trails to rugged canoe trips on the wide, meandering rivers of the Boreal Plains.

Wood Buffalo
National Park

**TERRITORY/PROVINCE:**
Northwest Territories/
Alberta

**CREATED:** 1922

**SIZE:** 44,792 sq km

**NATURAL REGIONS REPRESENTED:**
Northern Boreal Plains;
Southern Boreal Plains and
Plateaux

## WOOD BUFFALO

Plus grand parc national d'Amérique du Nord, le *parc national Wood Buffalo* sert de refuge à la harde de bisons la plus importante du monde et protège la seule aire de nidification de la grue blanche, espèce en voie de disparition. Le delta des rivières de la Paix et Athabasca est le plus vaste delta d'eau douce intérieur au monde. Site du patrimoine mondial de l'UNESCO, le parc abrite plusieurs ressources naturelles et culturelles uniques : écosystèmes variés et espèces rares côtoient les activités traditionnelles des Premières nations qui y vivent depuis plus de 8 000 ans. On peut y pratiquer diverses activités, des courtes promenades sur des sentiers isolés aux dures expéditions en canot sur les grandes rivières sinueuses des plaines boréales.

Parc national
Wood Buffalo

**TERRITOIRE/PROVINCE :**
Territoires du Nord-Ouest/
Alberta

**CRÉATION :** 1922

**SUPERFICIE :** 44 792 km carrés

**RÉGIONS NATURELLES
REPRÉSENTÉES :** Plaines
boréales du Nord; Plaines et
plateaux boréaux du Sud

## YOHO

From spectacular waterfalls, roaring rivers, and glacial lakes to towering rock walls, soaring snow-topped peaks, and ancient fossils, *Yoho National Park* earns its name from a Cree word expressing awe and wonder. The park forms part of the Canadian Rocky Mountain Parks UNESCO World Heritage Site and is home to over three hundred species of birds, reptiles, amphibians, and mammals, including grizzly and black bears, wolves, and wolverine. Part of the traditional lands of the Ktunaxa (Kootenay) and Shuswap First Nations, Yoho welcomes visitors for incomparable ski touring, ice climbing, canoeing, horseback riding, and camping opportunities.

Yoho
National Park

**PROVINCE:** British Columbia

**CREATED:** 1886

**SIZE:** 1,313.1 sq km

**NATURAL REGION REPRESENTED:**
Rocky Mountains

## YOHO

Cascades spectaculaires, rivières torrentueuses et lacs glaciaires, parois rocheuses vertigineuses, pics enneigés saisissants et fossiles anciens, le *parc national Yoho* doit son nom au mot utilisé par les Cris pour exprimer l'émerveillement. Élement du site du patrimoine mondial de l'UNESCO des parcs des montagnes Rocheuses canadiennes, Yoho abrite plus de 300 espèces d'oiseaux, de reptiles, d'amphibiens et de mammifères, dont le grizzly, l'ours noir, le loup et le carcajou. Faisant partie des terres ancestrales des Premières nations Ktunaxa (Kootenay) et Shuswap, le parc offre aux visiteurs des possibilités exceptionnelles de ski de randonnée, d'escalade des glaces, de canotage, d'équitation et de camping.

Parc national
Yoho

**PROVINCE :**
Colombie-Britannique

**CRÉATION :** 1886

**SUPERFICIE :** 1 313,1 km carrés

**RÉGION NATURELLE REPRÉSENTÉE :**
Montagnes Rocheuses

TOP
Visitors at the Cave and
Basin pool, circa 1916,
*Banff National Park*

EN HAUT
Visiteuses à la piscine de
Cave and Basin, vers 1916,
*parc national Banff*

BOTTOM
Fishing on Kingsmere Lake, 1935,
*Prince Albert National Park*

EN BAS
Pêche sur le lac Kingsmere, 1935,
*parc national de Prince Albert*

246

**Kevin Bachewich** is a marketing and promotions officer employed by Parks Canada. His current posting finds him in the prairie-surrounded forest enclave known as Riding Mountain National Park. In his profession, Kevin works closely with the tourism industry producing publications, exhibits, and various marketing materials. He pursues photography as a hobby in his spare time. *Page 123*

**Wayne Barrett** is one half of the husband-and-wife photography duo operating Barrett & MacKay from their studios on the banks of West River in St. Catherines, Prince Edward Island. Collectively they have published more than 30 books featuring landscape, nature and wildlife images. *Page 218*

**Mike Beedell** has been photographing Canada's north and spending time on the land with Indigenous families for more than 30 years, earning a reputation as one of Canada's premier north-country photographers as a result. When not travelling, Mike operates his photography business from his home base in the Gatineau Hills region of Quebec. *Page 62*

**Daryl Benson** is one of Canada's leading contemporary landscape photographers. He has been making trend-setting and evocative photographs for more than 20 years, is the author of three books, and is based in Edmonton. Daryl's work is represented by Masterfile and Getty Images. *Pages 25, 28, 46, 48, 51, 59, 68, 70, 74, 97, 102, 110, 112, 125, 178, 196*

**Michel Corboz** is an amateur photographer who works in the educational publishing industry. His hobby has taken him on travels across western Europe as well as the United States. Michel's keen interest in visual design is evident in his experimentations with image manipulation, a pastime he pursues from his Quebec City home. *Pages 154, 183*

**Ian Coristine** made a random flight in 1992 in an ultra-light aircraft that led to his discovery of the 1000 Islands, near Brockville, Ontario. Since that time he has photographed the region extensively, mostly from the air, and has just released his fifth book on the islands. Ian's images have also appeared in many of the world's leading magazines. *Pages 160, 169, 175*

**Gilles Daigle** has been operating a full-service studio in Moncton, New Brunswick, for more than 25 years, photographing for the culture, science, industrial, and tourism sectors across Canada. Gilles' work has been published worldwide by leading magazines. *Pages 189, 206, 214*

**Mark** and **Leslie Degner** share a passion for nature and they have been taking landscape, wildlife, and nature photographs for over 20 years. They spend most of their time capturing the beauty, drama, and diversity of the Canadian Rockies. Together they operate Wilderness Light Images in Sherwood Park, Alberta. *Page 119*

**Adrian Dorst** is an accomplished artist of several disciplines but is best known for his photographs that portray the wild and wildness of Canada's Pacific coast. He has published four books and his work has also appeared in numerous national and international magazines. Adrian continues to operate his BC Wild Images studio from his home in Tofino, Vancouver Island. *Page 105*

**Ron Erwin** has been translating his love of nature and passion for photography into images of Canada for over 20 years. He lives and works with his partner Lori in the Scarborough Bluffs neighbourhood of Toronto, Ontario. His photography is represented by All Canada Photos and several other stock agencies. *Pages 138, 150, 162*

**Kevin Bachewich** travaille à Parcs Canada comme agent de marketing et de promotion. Pour le moment, il se consacre à l'enclave forestière cernée de prairies qu'on appelle le parc national du Mont-Riding. Dans le cadre de ses fonctions, Kevin travaille de près avec l'industrie du tourisme à produire des publications, des expositions et divers documents de marketing. Durant ses loisirs, il donne libre cours à son amour de la photographie. *Page 123*

**Wayne Barrett** est le pôle mâle du couple de photographes qui exploitent Barrett & MacKay dans leurs studios au bord de la rivière West, à St. Catherines (Île-du-Prince-Édouard). Ensemble, ils ont publié plus de 30 livres de photos de paysages, de nature et de faune sauvage. *Page 218*

**Mike Beedell** doit sa réputation de maître de la photo de l'Arctique canadien à sa passion pour la photographie du Nord canadien et au fait que, depuis plus de 30 ans, il séjourne dans le Grand Nord avec des familles indigènes. Quand il n'est pas en voyage, Mike tient son studio dans son domicile de la région des collines de Gatineau (Québec). *Page 62*

**Daryl Benson** est un des grands photographes paysagistes contemporains du Canada. Depuis plus de 20 ans, il capte des photos marquantes et évocatrices. Auteur de trois livres, il a son atelier à Edmonton et est représenté par Masterfile et Getty Images. *Pages 25, 28, 46, 48, 51, 59, 68, 70, 74, 97, 102, 110, 112, 125, 178, 196*

**Michel Corboz** est un photographe amateur dans le domaine de l'édition pédagogique. Son passe-temps l'a conduit à voyager en Europe de l'Ouest et aux États-Unis. L'intérêt poussé de Michel pour le design visuel saute aux yeux dans les expériences de manipulation d'images qu'il mène depuis son domicile de Québec. *Pages 154, 183*

**Ian Coristine** a découvert les Mille-Îles en 1992, à l'occasion d'un vol en aéronef ultraléger près de Brockville (Ontario). Depuis, il photographie cette région avec constance, surtout du haut des airs, et vient de publier son cinquième livre sur les îles. Ses images ont aussi paru dans bon nombre des plus grands magazines au monde. *Pages 160, 169, 175*

**Gilles Daigle** tient depuis plus de 25 ans un studio qui offre des services complets de photographie à Moncton (Nouveau-Brunswick), se spécialisant dans les domaines culturel, scientifique, industriel et touristique partout au Canada. Ses photos ont paru dans des magazines prestigieux du monde entier. *Pages 189, 206, 214*

**Mark** et **Leslie Degner** ont en commun la passion de la nature, avec sa faune et ses paysages, qu'ils saisissent sur leurs photographies depuis plus de 20 ans. Passant le plus clair de leur temps à capturer la beauté, la solennité et la diversité des Rocheuses canadiennes, ils exploitent ensemble Wilderness Light Images, à Sherwood Park (Alberta). *Page 119*

**Adrian Dorst,** artiste chevronné dans plusieurs disciplines, est surtout connu pour ses photos des créatures et des régions sauvages de la Côte du Pacifique canadien. Il a publié quatre livres et ses œuvres ont aussi paru dans de nombreux magazines nationaux et internationaux. Adrian continue d'exploiter son studio BC Wild Images depuis son domicile de Tofino, dans l'île de Vancouver. *Page 105*

**Ron Erwin** traduit en images du Canada son amour de la nature et sa passion pour la photographie depuis plus de 20 ans. Vivant et travaillant avec sa compagne Lori dans le quartier Scarborough Bluffs de Toronto (Ontario), il est représenté par All Canada Photos et plusieurs autres agences de photo-marketing. *Pages 138, 150, 162*

**Dennis Fast** is a wildlife photographer based in Kleefeld, Manitoba. His photographs have appeared in numerous books, magazines, calendars, and photo exhibitions. He is a frequent speaker at photo and business conferences across Canada and in the USA, and his prairie photos were showcased by the CBC in their search for the seven wonders of Canada. *Pages 122, 139*

**Tim Fitzharris** taught at the postsecondary education level in Alberta for two years before embarking on a career that has seen him evolve as one of the leading nature photographers on the planet. He has published 31 books, and markets his work from his new home base in Santa Fe, New Mexico. *Pages 98, 148, 152, 164, 165*

**Lori Fox Rossi** has been photographing the people and places around the north shore of Lake Superior for more than 30 years. Prior to her recent move to Toronto, Lori managed her photo business and studio from her home town of Thunder Bay, and in so doing produced three calendars and contributed imagery to many of North America's leading magazines. *Page 161*

**Adam Gibbs** has been a professional photographer since 1991. Inspiration for his photography comes from living in beautiful British Columbia. Adam's work has been featured in numerous books, calendars, magazines, and advertisements throughout the world. *Pages 88, 93, 96, 132, 182*

**Geoff Goodyear** is a helicopter pilot by trade and a photographer by avocation. He has been flying for 30 years and making pictures for the past 40 years. Geoff markets his work from his home base in Happy Valley-Goose Bay, Labrador, and The Bartlett Gallery in Alton, Ontario. *Page 190*

**Mike Grandmaison** has a passion for photography that has taken him to most corners of this country in search of images that speak to the heart. He is the author of nine books, including *Canada, The Canadian Rockies, Georgian Bay,* and *Muskoka.* Mike works from his home base in Winnipeg. *Pages 24, 38, 81, 84, 126, 141, 157, 159, 220*

**Philippe Henry** is one of Quebec's most prolific nature photographers. Based in Saint-Léonard, he is the author of six books and is currently working on two more due to be released in 2010 and 2011. Philippe's work is represented by First Light. *Pages 155, 167, 170, 173*

**Don Johnston,** who makes his home in Lively, Ontario, has won numerous awards in photography and is widely published in books, calendars, magazines, and advertisements. His work is represented by All Canada Photos, Agefotostock, and Alamy. *Pages 78, 180*

**Jerry Kobalenko,** writer, photographer, and Canada's premier Arctic traveller, typically spends three months a year in a tent in the North. His latest book, *Arctic Eden,* has been called one of the best photographic narratives on high adventure in the Arctic ever produced. *Pages 35, 53, 55, 60, 193*

**J.A. (Janis) Kraulis,** of Latvian descent, was raised in Montreal and earned degrees in science and architecture at McGill University. He has been photographing the Canadian landscape for more than 25 years. Janis lives in Vancouver and is the author of more than 20 books. His work is represented by Masterfile. *Pages 27, 30, 41, 42, 63, 83, 90, 94, 99, 103, 158, 192*

**Dennis Fast** est un photographe de la faune de Kleefeld (Manitoba). Ses photos ont paru dans de nombreux livres, magazines, calendriers et expositions. Il est souvent appelé à donner des exposés pour des conférences photographiques et commerciales au Canada et aux États-Unis et ses photos des Prairies ont été présentées par la CBC dans sa quête des sept merveilles du Canada. *Pages 122, 139*

**Tim Fitzharris** a enseigné deux ans au postsecondaire en Alberta avant d'entreprendre une carrière qui l'a vu devenir un des grands photographes de la nature sur la planète. Auteur de 31 livres, il met en marché ses œuvres depuis son nouveau domicile de Santa Fe (Nouveau-Mexique). *Pages 98, 148, 152, 164, 165*

**Lori Fox Rossi** photographie les gens et les paysages de la rive nord du lac Supérieur depuis plus de 30 ans. Avant son récent déménagement à Toronto, Lori tenait son commerce et son studio de photo dans sa ville natale de Thunder Bay, produisant trois calendriers et vendant ses images à certains des magazines les plus populaires d'Amérique du Nord. *Page 161*

**Adam Gibbs** est photographe professionnel depuis 1991. Inspirées par sa vie au milieu des splendeurs de la Colombie-Britannique, ses photos ont paru dans de nombreux livres, calendriers, magazines et annonces publicitaires du monde entier. *Pages 88, 93, 96, 132, 182*

**Geoff Goodyear** est pilote d'hélicoptère depuis 30 ans et photographe par vocation depuis 40 ans. Geoff vend ses photos depuis son domicile de Happy Valley-Goose Bay (Labrador) et à la Bartlett Gallery d'Alton (Ontario). *Page 190*

**Mike Grandmaison** a une passion pour la photographie qui l'a entraîné dans la plupart des recoins du pays à la recherche d'images qui parlent au cœur. Auteur de neuf livres, dont *Canada, The Canadian Rockies, Georgian Bay,* et *Muskoka,* Mike tient son studio dans son domicile de Winnipeg. *Pages 24, 38, 81, 84, 126, 141, 157, 159, 220*

**Philippe Henry** est un des photographes de la nature les plus prolifiques du Québec. Établi à Saint-Léonard, il est l'auteur de six livres et en prépare présentement deux autres qui paraîtront en 2010 et 2011. Philippe est représenté par First Light. *Pages 155, 167, 170, 173*

**Don Johnston** a remporté nombre de prix pour ses photos qui ont été largement diffusées dans des livres, des calendriers, des magazines et des annonces publicitaires. Installé à Lively (Ontario), il est représenté par All Canada Photos, Agefotostock et Alamy. *Pages 78, 180*

**Jerry Kobalenko,** écrivain, photographe et ardent explorateur de l'Arctique canadien, passe d'habitude trois mois par an sous la tente dans le Nord. Son livre le plus récent, *Arctic Eden,* est considéré comme l'un des meilleurs reportages photographiques d'aventures dans l'Arctique jamais produits. *Pages 35, 53, 55, 60, 193*

**J.A. (Janis) Kraulis,** d'ascendance lettone, a grandi à Montréal où il a obtenu des diplômes en sciences et en architecture à l'université McGill. Depuis plus de 25 ans, il photographie le paysage canadien. Vivant à Vancouver, Janis est l'auteur de plus de 20 livres. Il est représenté par Masterfile. *Pages 27, 30, 41, 42, 63, 83, 90, 94, 99, 103, 158, 192*

**Wayne Lynch, MD,** is a member of the prestigious Explorers Club and one of Canada's leading wildlife photographers and natural history writers. Wayne has published more than 50 books covering wildlife from around the world. He and Aubrey Lang, his wife of 35 years, are based in Calgary but continue to travel the world on photography projects. *Pages 23, 26, 29, 37, 40, 44, 45, 47, 52, 58, 61, 65, 82, 111, 115, 116, 117, 124, 127, 199*

**Ian MacNeil** was closely involved for over 34 years with Parks Canada in the identification and establishment of new national parks in Canada, including Gwaii Haanas National Park Reserve and Ivvavik, Vuntut, Quttinirpaaq, Aulavik and Torngat Mountains national parks. His last project for Parks Canada led to the recent announcement of negotiations to create a national park in Labrador's Mealy Mountains. *Page 43*

**John E. Marriott** is a wildlife and nature photographer based in Canmore, Alberta. He is the author/photographer of five books, including two Canadian bestsellers. John's work is represented by Getty Images and his photographs have been published worldwide by leading magazines. *Pages 64, 80, 89, 134, 135, 136, 137*

**Patrick McCloskey** has been freelancing as an audiovisual specialist and visual storyteller for more than 25 years. Patrick's work concentrates on profiling the natural and cultural worlds through social or scientific themes. He has received many awards over the course of his career and works from his home base in Canmore, Alberta. *Page 75*

**John McKinnon** was born and raised in southern Alberta and is an amateur photographer with a passion for nature photography. He is a Resource Conservation Technician at Wood Buffalo National Park and enjoys photographing the unique and natural treasures that the park protects. He lives in Fort Smith, Northwest Territories. *Page 56*

**Ethan Meleg** hails from Tobermory, Ontario, and is addicted to photographing natural landscapes, wildlife, and outdoor activities. His photos, often featuring Canada's national parks, have been published worldwide by many leading publishers. *Pages 149, 156, 166, 168, 172, 174, 176, 179, 181*

**Fritz Mueller** is known for his iconic northern photographs that have earned him awards and recognition as one of Canada's leading nature photographers. He began his career as a wildlife biologist, and today he shoots for editorial, stock, and commercial clients from his home in Whitehorse, Yukon. *Pages 22, 32, 34, 36, 50, 54, 57, 69*

**Lee Narraway** is arguably the best female photographer working in the Canadian north today. Lee first looked through a viewfinder at the age of ten and although her career now takes her to the farthest corners of the world, she continues to have affection for Canada's eastern Arctic and its people. Lee is based in White Lake, Ontario. *Pages 31, 39, 66, 67*

**Graham Osborne** is one of Canada's leading photographers and has been the recipient of numerous national and international accolades. His award-winning large-format camera imagery has appeared in countless magazines, and he has published six coffee-table books of his work. Graham makes his home in Chilliwack, British Columbia. *Page 86*

**Jacques Pleau,** a photographer/naturalist for several decades, has travelled extensively throughout Quebec and the Maritimes. Inspired by their diverse landscapes, flora and fauna, he has worked on various publications, 3D multimedia productions, and thematic exhibits aimed at raising awareness of the importance of biodiversity. *Page 153*

**Wayne Lynch, M.D.,** est un des principaux photographes de la faune et auteurs d'histoire naturelle au Canada. Membre du prestigieux Explorers Club, Wayne a publié plus de 50 livres sur la faune du monde entier. Avec Aubrey Lang, son épouse depuis 35 ans, il vit à Calgary d'où il continue à parcourir le monde pour réaliser divers projets de photographie. *Pages 23, 26, 29, 37, 40, 44, 45, 47, 52, 58, 61, 65, 82, 111, 115, 116, 117, 124, 127, 199*

**Ian MacNeil** a travaillé plus de 34 ans au sein de Parcs Canada à la délimitation et à l'établissement de nouveaux parcs nationaux au Canada, notamment de la réserve de parc national Gwaii Haanas et des parcs nationaux Ivvavik, Vuntut, Quttinirpaaq, Aulavik et des Monts-Torngat. Son dernier projet pour Parcs Canada a mené à l'annonce récente de l'ouverture de négociations sur la création d'un parc national dans les monts Mealy, au Labrador. *Page 43*

**John E. Marriott** est un photographe de la faune et de la nature de Canmore (Alberta). Il est l'auteur et le photographe de cinq livres, dont deux succès de librairie au Canada. John est représenté par Getty Images et ses photos ont été publiées dans des magazines prestigieux du monde entier. *Pages 64, 80, 89, 134, 135, 136, 137*

**Patrick McCloskey** travaille à son compte comme spécialiste en audiovisuel et conteur visuel depuis plus de 25 ans. Son œuvre dresse un profil des mondes naturel et culturel par le biais de thèmes sociaux ou scientifiques. Lauréat de maintes récompenses au fil de sa carrière, il tient un studio à sa résidence de Canmore (Alberta). *Page 75*

**John McKinnon,** photographe amateur passionné par la nature, est né et a grandi dans le sud de l'Alberta. Il travaille comme technicien en conservation des ressources au parc national Wood Buffalo et se plaît à fixer sur la pellicule les trésors naturels uniques que protège le parc. Il vit à Fort Smith (Territoires du Nord-Ouest). *Page 56*

**Ethan Meleg,** originaire de Tobermory (Ontario), est passionné par la photographie de paysages, de la faune et des loisirs de plein air. De nombreux éditeurs prestigieux de partout dans le monde ont publié ses photos, qui capturent souvent des parcs nationaux du Canada. *Pages 149, 156, 166, 168, 172, 174, 176, 179, 181*

**Fritz Mueller** est connu pour ses photos iconiques du Grand Nord, qui lui ont valu prix et célébrité comme maître de la photographie de la nature au Canada. Après un début de carrière comme biologiste de la faune, il œuvre aujourd'hui dans son studio de Whitehorse (Yukon) pour des clients du monde de l'information, de la publicité et du commerce. *Pages 22, 32, 34, 36, 50, 54, 57, 69*

**Lee Narraway** est sans doute la meilleure femme photographe à travailler dans le Nord canadien de nos jours. Lee avait 10 ans quand elle a regardé à travers un viseur la première fois. Même si sa carrière lui fait visiter les coins les plus reculés de la planète, elle conserve son affection pour les paysages et les gens de l'est de l'Arctique canadien. Lee vit à White Lake (Ontario). *Pages 31, 39, 66, 67*

**Graham Osborne** est un chef de file de la photo au Canada et a reçu de nombreuses récompenses nationales et internationales. Ses images grand format primées ont paru dans d'innombrables magazines, et il a publié six livres cadeaux de ses œuvres. Graham habite Chilliwack (Colombie-Britannique). *Page 86*

**Jacques Pleau,** photographe naturaliste depuis plusieurs décennies, a effectué de nombreux voyages au Québec et dans les Maritimes. Inspiré par la variété des paysages, de la flore et de la faune, il a réalisé diverses publications, productions multimédias tridimensionnelles et expositions thématiques visant à sensibiliser les gens à l'importance de la biodiversité. *Page 153*

**Robert Postma** is a photographer who has spent most of his adult life working "north of 60." While his heart lies in the North, he has travelled extensively throughout Canada and the world and won numerous awards and contests. His work is represented by First Light, All Canada Photos, Moodboard, and Getty Images. *Pages 114, 120*

**Chris Reardon** is a stock and assignment photographer working out of Canada's east coast for regional and national corporate clients. Chris works on a diverse range of projects from the natural wonders of Canada's national parks to publicity in the film industry for some of the best-known international productions. *Page 201*

**Norbert Rosing** is a German-based photographer who started working in Canada's north in 1988 with his still ongoing project "The World of the Polar Bear." Norbert has emerged as one of the premier nature photographers on the planet, and in the process has published 11 books and has had eight stories published in *National Geographic* magazine. *Page 133*

**Dale Sanders** is one of Canada's premier underwater photographers. He has swum with dolphins and humpback whales, photographed beneath the Arctic ice in Canada's far north, and even survived a great white shark destroying his shark cage. Based in Victoria, he has published a book on British Columbia's underwater wilderness. *Pages 76, 77, 106*

**Christian J. Stewart** is a native of the Chicago, Illinois area. After moving to Canada in 1972, he went on to complete a B.Sc. and M.Sc. in physical geography and geology, from which he gained an appreciation and understanding of the diverse physical features and cultures found in the world—an appreciation that is reflected in many of his images. *Page 85*

**John Sylvester** is an award-winning photographer based in Prince Edward Island. He specializes in Canadian landscape, nature, travel, and editorial photography, with an emphasis on the Atlantic region. His work appears internationally in leading publications, books, and calendars. *Pages 92, 140, 186, 187, 200, 210, 215, 216, 219, 222*

**Darwin Wiggett** is one of Canada's—and indeed the world's—most well-known nature photographers. He is based in Cochrane, Alberta, and the author of 11 books. Darwin's work is represented by First Light, All Canada Photos, and Getty Images. *Pages 79, 87, 91, 100, 101, 104, 113, 118, 121, 128, 130, 131, 142, 144, 145*

**Dale Wilson** is an eastern Canadian photographer who has travelled in all provinces and territories for more than 20 years. He is the author of four books and is based in Eastern Passage, Nova Scotia. Dale's work is represented by Masterfile, All Canada Photos, and Getty Images. *Pages 151, 171, 188, 191, 194, 195, 197, 198, 202, 207, 208, 209, 211, 212, 217, 221*

**Heiko Wittenborn** moved to Montreal from his native Germany in 1978 and immediately became fascinated with the landscape, wildlife, and wide open spaces of Quebec. He developed a special interest in Nunavik—the great land of northern Quebec's Inuit. Heiko has published three exclusive coffee-table books. *Pages 204, 205, 213*

---

*Historical Photographs*
*Biographical information for the creators of the historical images appearing in this book is not included since most of these photographers are unknown.*

**Robert Postma** est un photographe qui a passé l'essentiel de sa vie adulte « au nord du 60ᵉ parallèle ». Cet amoureux du Grand Nord a effectué maints voyages d'un bout à l'autre du Canada et dans le monde, remportant de nombreux prix et concours. Il est représenté par First Light, All Canada Photos, Moodboard et Getty Images. *Pages 114, 120*

**Chris Reardon** fait de la photo d'archives et de commande sur la côte est du Canada pour une clientèle d'affaires régionale et nationale. Il mène une gamme de projets, allant des merveilles naturelles des parcs nationaux du Canada à la publicité pour certaines des productions cinématographiques internationales les plus célèbres. *Page 201*

**Norbert Rosing,** photographe vivant en Allemagne, a commencé à s'intéresser au Nord canadien en 1988 dans le cadre d'un projet toujours en cours sur le monde de l'ours polaire. Norbert est aujourd'hui un des meilleurs photographes de la nature de la planète. Il a publié 11 livres, ainsi que huit articles dans la revue *National Geographic*. *Page 133*

**Dale Sanders** est un des maîtres de la photographie sous-marine au Canada. Il a nagé avec les dauphins et les rorquals à bosse, fait de la photo sous la banquise de l'Arctique canadien et même survécu à la destruction de sa cage par un requin blanc. Vivant à Victoria, Dale a publié un livre sur les paysages sous-marins de la Colombie-Britannique. *Pages 76, 77, 106*

**Christian J. Stewart** est né dans la région de Chicago (Illinois) et est venu s'installer au Canada en 1972. Il a alors complété un baccalauréat et une maîtrise en géographie physique et en géologie, ce qui l'a aidé à mieux connaître et comprendre les caractéristiques physiques et les cultures du monde entier, un savoir qui se reflète dans ses images. *Page 85*

**John Sylvester** est un photographe primé qui vit dans l'Île-du-Prince-Édouard. Spécialisé dans les photos de paysages canadiens, de nature, de voyage et éditoriales, il s'attache surtout à la région de l'Atlantique. On voit ses œuvres partout dans le monde dans des revues de renom, des livres et des calendriers. *Pages 92, 140, 186, 187, 200, 210, 215, 216, 219, 222*

**Darwin Wiggett** est un des photographes de la nature les plus célèbres du Canada, voire du monde entier. Installé à Cochrane (Alberta) et auteur de 11 livres, Darwin est représenté par First Light, All Canada Photos et Getty Images. *Pages 79, 87, 91, 100, 101, 104, 113, 118, 121, 128, 130, 131, 142, 144, 145*

**Dale Wilson** est un photographe de l'est du Canada qui a passé plus de 20 ans à parcourir l'ensemble des provinces et des territoires du pays. Auteur de quatre livres, il a son studio à Eastern Passage (Nouvelle-Écosse). Dale est représenté par Masterfile, All Canada Photos et Getty Images. *Pages 151, 171, 188, 191, 194, 195, 197, 198, 202, 207, 208, 209, 211, 212, 217, 221*

**Heiko Wittenborn,** originaire d'Allemagne, a déménagé à Montréal en 1978. Il a vite été fasciné par les paysages, la faune et les grands espaces vierges du Québec. Il a un intérêt tout spécial pour le Nunavik, l'immense pays des Inuits du Nord québécois. Heiko a publié trois beaux livres grand format exclusifs. *Pages 204, 205, 213*

---

*Photographies historiques*
*Les renseignements biographiques des auteurs des images historiques présentées dans ce livre ne sont pas inclus, puisque la plupart de ces photographes sont inconnus.*

On Chief Mountain Highway looking
southwest up Blakiston Valley, 1933,
*Waterton Lakes National Park*
(W.J. OLIVER)

Sur la route du Mont-Chief, vue de la
vallée Blakiston au sud-ouest, 1933,
*parc national des Lacs-Waterton*
(W.J. OLIVER)

www.canopyplanet.org

www.canopeeqc.org

Canopy is an award-winning environmental organization committed to the preservation of biodiversity and the world's forests and climate. Best known for greening the *Harry Potter* series, Canopy links forest conservation with environmental solutions by revolutionizing the role that markets play in biodiversity protection. We work closely with the North American newspaper, book, print, and magazine sectors to shift industry demand away from intact and endangered forests. Greening the purchasing practices of large corporate paper consumers not only reduces the carbon and biodiversity footprints of these companies, it catalyzes sustainable products, provides millions of consumers with eco-solutions, and drives change in the way forests are managed. This approach has enabled Canopy to protect biologically significant forests, safeguard endangered species, and establish sustainable management practices.

For the past decade, Canopy has worked with some of the world's largest paper consumers and iconic brands to redefine the consumption practices of their industries and broker globally significant conservation initiatives like the Canadian Boreal Forest Agreement. With half of the world's forests logged each year for pulp and paper products, Canopy's bold and creative campaigns have brought systemic change to issues of conservation by inspiring business to use their considerable purchasing power to drive change where it counts: into the forests.

Canopy's work is ambitious in nature, global in scope, and transformative in its outcomes. We are dedicated to harnessing the power of the marketplace for the protection of our forests, species, and climate, and we invite all Canadians to support our essential efforts.

Canopée est une organisation environnementale primée vouée à la préservation de la biodiversité et des forêts et du climat du monde. Surtout connue pour l'écologisation de la série *Harry Potter*, Canopée associe la conservation des forêts à des solutions environnementales en révolutionnant le rôle des marchés dans la protection de la biodiversité. Canopée travaille étroitement avec les secteurs des journaux, de l'édition, de l'imprimerie et des magazines d'Amérique du Nord pour détourner des forêts intactes et en voie de disparition la demande de ces industries. L'écologisation des pratiques d'achat des entreprises grandes consommatrices de papier, en plus de réduire leur empreintes carbone et écologique, catalyse l'élaboration de produits durables, fournit des solutions écologiques à des millions de consommateurs et anime la transformation des modes d'aménagement forestier. Cette stratégie a permis à Canopée de protéger des forêts d'importance biologique, de protéger des espèces en voie de disparition et d'établir des pratiques de gestion durable.

Au cours de la dernière décennie, Canopée a travaillé avec certains des plus grands utilisateurs de papier et marques prestigieuses au monde à redéfinir les pratiques de consommation de leurs industries et à négocier des initiatives de conservation importantes pour toute la planète, comme l'Entente sur la forêt boréale canadienne. Avec la moitié des forêts du monde abattues chaque année pour la production de pâte et de papier, les campagnes audacieuses et créatives de Canopée ont apporté des changements systémiques aux questions de conservation en amenant les entreprises à se servir de leur pouvoir d'achat considérable pour influencer le changement là où c'est le plus important : dans les forêts.

L'œuvre de Canopée est forcément ambitieuse et d'envergure planétaire, et ses visées sont transformatives. Nous nous employons à mettre la puissance des marchés au service de la protection de nos forêts, de nos espèces et de nos climats, et nous invitons tous les Canadiens à soutenir ces efforts essentiels.

## Ecological Benefit Statement

Canopy is committed to the preservation and protection of the planet's wild spaces. *Canada's National Parks: A Celebration* is an example of walking the talk.

This book was produced to have the least possible impact on our planet's species, forests, and climate. It contains no wood fibre from intact or endangered forests. All paper used to produce this book is made of acid-free, Forest Stewardship Council (FSC) certified material and contains post-consumer recycled content. Copies of the book were shipped in environmentally responsible packing material and a selection of vendors was made to reduce the need for additional transportation. Looking at the other areas of the book's footprint, all inks are vegetable-based, and glues and adhesives are water-based and renewable.

By using these ecologically responsible materials rather than materials made of fibre produced from virgin forests, Canopy and Parks Canada have preserved:

187 trees

1,200,000 litres of water (enough water to fill ~1 Olympic-sized swimming pool)

15,270 kilograms of solid waste (equivalent to the weight of 67 average male grizzly bears)

45,608 kilograms of greenhouse gases (equivalent to the exhaust from traveling 185,000 kilometres in an average car)

570,000,000 BTUs of electricity (enough electricity to power the average North American home for 520 years)

FRONT AND BACK TEXT SECTIONS: Rolland Enviro100 Print, 100% post-consumer waste
COLOUR PHOTOGRAPHY AND FOLD-OUT MAP PAGES: Reincarnation Matte, 60% post-consumer waste
ENDSHEETS: Rolland Enviro100 Print, 100% post-consumer waste

### Consumer Edition
DUST JACKET: Sterling Gloss, 10% post-consumer waste
HARDCOVER BOARD: Eska Board, 100% post-consumer waste
HARDCOVER WRAP: Rainbow, 30% recycled content with 10% post-consumer waste

### School Edition
COVER WRAP: Sterling Gloss, 10% post-consumer waste
HARDCOVER BOARD: Eska Board, 100% post-consumer waste

## Énoncé des avantages écologiques

Canopée s'est engagée à préserver et à protéger les espaces sauvages de la planète. *Les parcs nationaux du Canada : une célébration* en est un bon exemple.

Le présent livre a été produit de manière à avoir le moins d'impact possible sur les espèces, les forêts et le climat de notre planète. Il ne contient aucune fibre issue de forêts intactes ou menacées. Tout le papier utilisé dans la production du présent livre est fait de matériaux sans acide certifiés par le Forest Stewardship Council (FSC) et contient des fibres recyclées postconsommation. Les exemplaires du livre ont été expédiés dans des matériaux d'emballage écologiques, et les fournisseurs ont été choisis dans le but de réduire les besoins en matière de transport. De plus, l'impression du livre a été réalisée à l'aide d'encres végétales, et les colles et les adhésifs sont faits à base d'eau et de matériaux renouvelables.

En utilisant ces matériaux écologiques plutôt que des matériaux faits de fibres provenant de forêts intactes, Canopée et Parcs Canada ont préservé :

187 arbres

1 200 000 litres d'eau (soit suffisamment d'eau pour remplir ~1 piscine olympique)

15 270 kilogrammes de déchets solides (soit l'équivalent du poids de 67 grizzlys mâles de taille moyen)

45 608 kilogrammes de gaz à effet de serre (soit l'équivalent des gaz produits en parcourant 185 000 kilomètres à bord d'une voiture de taille moyenne)

570 000 000 BTU d'électricité (soit suffisamment d'électricité pour alimenter un foyer nord-américain moyen pendant 520 ans)

SECTIONS DE TEXTE AVANT ET ARRIÈRE : Rolland Enviro100 Print, contient 100 % de fibres postconsommation
PAGES DE PHOTOGRAPHIES EN COULEUR ET CARTE À DÉPLIER : Reincarnation Matte, contient 60 % de fibres postconsommation
PAGES DE GARDE : Rolland Enviro100 Print, contient 100 % de fibres postconsommation

### Édition destinée au public
JAQUETTE : Sterling Gloss, contient 10 % de fibres postconsommation
COUVERTURE RIGIDE : Eska Board, contient 100 % de fibres postconsommation
PROTECTION DE COUVERTURE RIGIDE : Rainbow, contient 30 % de matériaux recyclés, dont 10 % de fibres postconsommation

### Édition destinée aux écoles
PROTECTION DE COUVERTURE : Sterling Gloss, contient 10 % de fibres postconsommation
COUVERTURE RIGIDE : Eska Board, contient 100 % de fibres postconsommation

First park warden
uniforms, 1938,
*Yoho National Park*
(F. LOTHIAN)

Les premiers uniformes
de garde de parc, 1938,
*parc national Yoho*
(F. LOTHIAN)

## Historical Photographs

*All historical photographs appearing in this book are copyright Parks Canada with the exception of the following:*

PAGE 1: Glenbow Archives, NA-4686-103; PAGE 20 *(top)*: Defence Research and Development Canada, Harold Serson Collection; PAGE 20 *(bottom)*: Canadian Museum of Civilization; PAGE 72 *(top)*: Parks Canada, Ewen MacLeod Collection; PAGE 146 *(top)*: Parks Canada, collection of Guy Côté; PAGE 246 *(top)*: Parks Canada, courtesy of Mrs. George F. Marks; PAGE 251: Canada Department of the Interior / NWT Archives / G-1989-006-0020

## Colophon

TYPOGRAPHY: The serif typeface is Laurentian, designed by Canadian typographer Rod McDonald, who drew inspiration from both French and English historic typefaces to create what he considered "the quintessential Canadian face." The sans serif typeface Slate used in this book was also created by McDonald.

PUBLISHER: Canopy, *Vancouver/Toronto/Montréal*
RESEARCH, WRITING AND DESIGN: Parks Canada
PHOTO RESEARCH: Dale Wilson, *Eastern Passage, Nova Scotia*
DIGITAL ELEVATION MODEL: David T. Sandwell, Walter H.F. Smith, and Joseph J. Becker, University of California, *San Diego, California*
PRINTING AND BINDERY: Friesens Corporation, *Altona, Manitoba*

## Photographies historiques

*Toutes les photographies historiques figurant dans le présent livre sont la propriété de Parcs Canada sauf les suivantes :*

PAGE 1: Glenbow Archives, NA-4686-103; PAGE 20 *(en haut)* : Recherche et développement pour la défense Canada, collection de Harold Serson; PAGE 20 *(en bas)* : Musée canadien des civilisations; PAGE 72 *(en haut)* : Parcs Canada, collection de Ewen MacLeod; PAGE 146 *(en haut)* : Parcs Canada, collection de Guy Côté; PAGE 246 *(en haut)* : Parcs Canada, avec la permission de Mme George F. Marks; PAGE 251 : Ministère de l'Intérieur du Canada / NWT Archives / G-1989-006-0020

## Colophon

TYPOGRAPHIE : Laurentian, la police à empattement employée pour le présent livre, a été conçue par le typographe canadien Rod McDonald, qui s'est inspiré de deux vieilles polices (française et anglaise) pour créer ce qu'il considère « la police canadienne par excellence ». Les caractères sans empattement utilisés, appelés Slate, ont aussi été créés par McDonald.

ÉDITEUR : Canopée, *Vancouver/Toronto/Montréal*
RECHERCHE, RÉDACTION ET CONCEPTION GRAPHIQUE : Parcs Canada
RECHERCHE PHOTOGRAPHIQUE : Dale Wilson, *Eastern Passage (Nouvelle-Écosse)*
MODÈLE NUMÉRIQUE D'ALTITUDE : David T. Sandwell, Walter H.F. Smith et Joseph J. Becker, University of California, *San Diego (Californie)*
IMPRESSION ET RELIURE : Friesens Corporation, *Altona (Manitoba)*

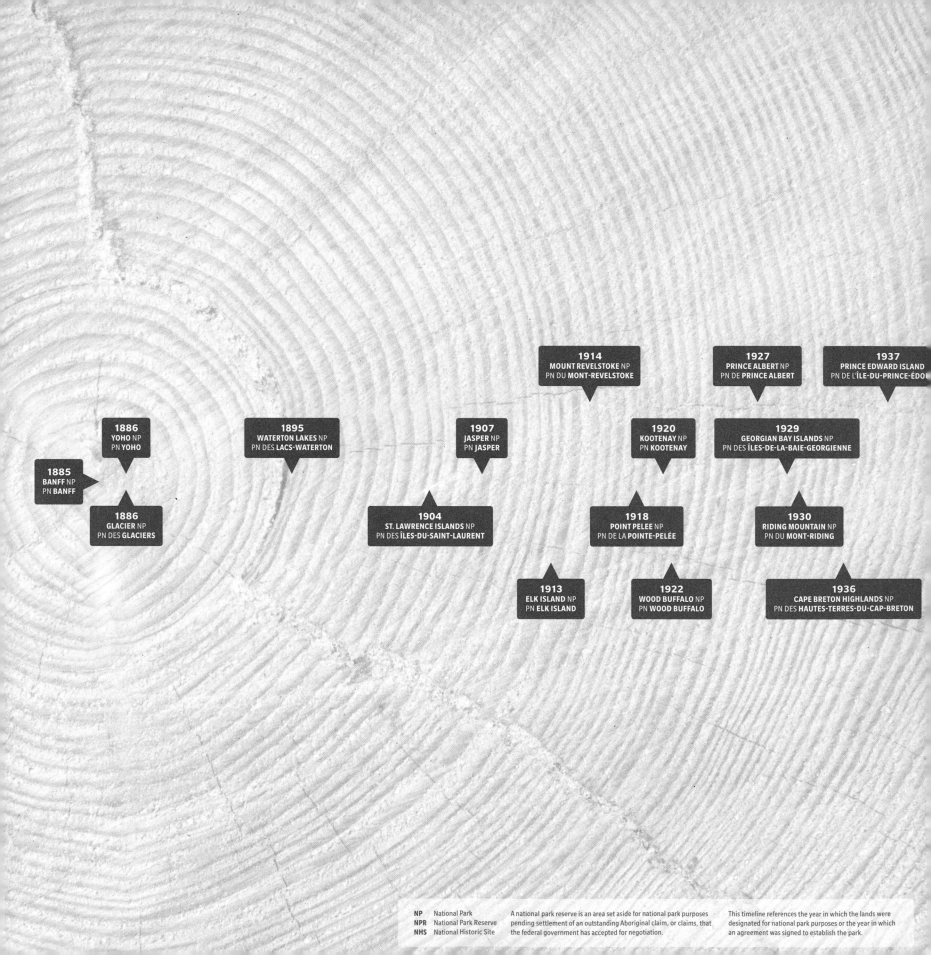

**1885**
**BANFF** NP
PN **BANFF**

**1886**
YOHO NP
PN **YOHO**

**1886**
GLACIER NP
PN DES **GLACIERS**

**1895**
WATERTON LAKES NP
PN DES **LACS-WATERTON**

**1904**
ST. LAWRENCE ISLANDS NP
PN DES **ÎLES-DU-SAINT-LAURENT**

**1907**
JASPER NP
PN **JASPER**

**1913**
ELK ISLAND NP
PN **ELK ISLAND**

**1914**
MOUNT REVELSTOKE NP
PN DU **MONT-REVELSTOKE**

**1918**
POINT PELEE NP
PN DE LA **POINTE-PELÉE**

**1920**
KOOTENAY NP
PN **KOOTENAY**

**1922**
WOOD BUFFALO NP
PN WOOD BUFFALO

**1927**
PRINCE ALBERT NP
PN DE **PRINCE ALBERT**

**1929**
GEORGIAN BAY ISLANDS NP
PN DES **ÎLES-DE-LA-BAIE-GEORGIENNE**

**1930**
RIDING MOUNTAIN NP
PN DU **MONT-RIDING**

**1936**
CAPE BRETON HIGHLANDS NP
PN DES **HAUTES-TERRES-DU-CAP-BRETON**

**1937**
PRINCE EDWARD ISLAND
PN DE L'ÎLE-DU-PRINCE-ÉDO

**NP**    National Park
**NPR**   National Park Reserve
**NHS**   National Historic Site

A national park reserve is an area set aside for national park purposes pending settlement of an outstanding Aboriginal claim, or claims, that the federal government has accepted for negotiation.

This timeline references the year in which the lands were designated for national park purposes or the year in which an agreement was signed to establish the park.